어디에도 휘파람은 없다

발 행 | 2024년 05월 31일
저 자 | 도우진
펴낸곳 | 주식회사 부크크
출판사등록 | 2014.07.15.(제2014-16호)
주 소 | 서울특별시 금천구 가산디지털1로 119 SK트윈타워 A동 305호
전 화 | 1670-8316
이메일 | info@bookk.co.kr

ISBN | 979-11-410-8755-5

www.bookk.co.kr

어디에도 휘파람은 없다

도우진 지음

제1부

“사느냐 죽느냐 그것이 문제로다”

무대 위 주연배우의 마지막 말과 함께 연극은 끝이 났다.

극장에 온 수많은 사람들은 그의 마지막 말과 함께 일어나 박수를 쳤다.

이 순간 무대 위를 바라보고 있는 것은 관객석만은 아니었다.

“마지막에 저렇게 박수를 받는 거 보면 부럽다니까.”

무대 뒤편의 어두운 곳에도 지켜보는 사람들은 있었다.

방금 끝난 무대에서 역할을 맡았던 것인지 병사 옷을 입고 있는 남자가 옆에 있는 남자에게 물었다.

무대에서 박수를 받고 있는 화려한 옷을 입은 남자.

그다음으로 갑옷을 입은 병사를 보았을 때 대답을 해야 할 남자가 입고 있는 하인의 옷은 대비되어 보였다.

축 늘어진 어깨는 평균보다 작은 키와 더불어 모습의 차이를 극명하게 드러내고 있었다.

"당연히 박수받아야 할 사람이 받아야죠."

"맥빠지는 녀석. 이번에는 뼛속까지 하인 역할이라는 거지."

의미심장한 말과 함께 몇 마디 말을 더하려던 남자는 무대에서 박수를 뒤로하고 내려오는 남자를 보고는 하인 옷을 입은 남자를 내버려둔 체 앞으로 튀어나갔다.

무대 뒤편에서 마지막을 보고 있던 배우들과 더불어 내려오는 남자를 향해 박수를 치며 환대했다.

그렇게 무대가 끝나고 관객들이 떠나가는 순간에 배우들은 자신의 가면들을 벗고 있었다.

"벌써 연극의 마지막이라니 믿기지가 않네."

"믿기지 않게 좋은 거지. 월급날이니까"

시시껄렁한 농담부터 퇴근하고 가질 약속들까지 왁자지껄한 목소리들이 탈의실을 가득 채웠다.

방금 전까지 무대를 향해 박수와 함성을 지르던 관객들보다도 커다란 소리였다.

그렇게 멈추지 않을 거 같은 소음은 한 사람이 탈의실로 들어오는 것으로 접시가 깨진 것처럼 적막감에 휩싸였다.

들어온 남자는 그런 반응에 만족했는지 살며시 미소를 짓고 있었다.

“나 땜에 기분 좋은 일이 없어졌나 봐?”

“오셨나요”

“오셨나요?”

극단에서 제일 오래된 경력을 가진 배우가 먼저 말을 걸었건만 까칠한 대답으로 대신한 젊은 남자였다.

금발머리가 잘 어울리는 준수하게 생긴 얼굴과 달리 날카로운 눈빛을 가진 남자였다.

부유함을 과시하려는 듯 비싼 옷으로 치장한 이전 극단주의 아들.

지역에서 제일가는 가문의 망나니였지만 극단을 신경 쓰기 어려운 극단주 때문에 불행히도 현재 극단을 실질적으로 이끌고 있는 남자였다

“극단주에게 조금 정도는 경의를 가져야 할 텐데요. 오래 일했다고 어쭙잖은 텃세 부리지 말고요.”

“알..겠습니다.”

삭막해진 분위기 속에서 농담이라고 덧붙였지만 어느 것이 진심인지는 모두가 알고 있었다.

그래도 사람들의 불만이 금방 사그라든 것은 그가 가지고 온 돈뭉치를 하나씩 사람들에게 나누어 주었기 때문이였다.

극단주 대리 역할을 맡은 후 사람들의 욕을 먹고 있었지만 그중에서 제일은 지금 보여주는 모습이었다.

공연의 마지막 날 급여봉투를 직접 가져와 각자의 이름이 적힌 봉투에 담아서 나눠주는 것이 특권이라고 생각하는 행동이였다.

"으음..."

심술궂은 어린 주인이 한 사람씩 돈 봉투를 나눠주다가 어느 순간 멈춰 섰다.

그 앞에 있는 것은 아까 무대 뒤에서 이야기하던 하인 옷을 입고 있던 남자.

위에서 아래까지 훑어보는 시선에는 언제든지 가지고 놀 수 있는 장난감을 보는 어린아이의 감정이 담겨 있었다.

또한 죄책감 따위는 느끼지 않는 악독함까지 말이었다.

"이쪽은 하는 것에 비해서 꽤나 돈이 많이 들어가 있는 거 같은데."

"주십시오.""

"장난이야 장난. 이번에도 기대했는데 하인 역할에 심취해서인지 저번처럼 대들지 않네."

찰싹

자신보다 적어도 10살이나 많은 것을 알면서도 사람들이 보는 앞에서 귀엽다는 듯이 뺨에 손바닥을 대고 있었다.

하인 옷을 입은 남자는 기분 나쁠 법한데도 표정 변화 없이 그저 가만히 있다가 흥미가 떨어져서 건네주는 봉투를 품에 넣었다.

그렇게 폭풍처럼 한번 휘젓고는 작별 인사와 함께 자리를 떠났다.

남겨진 사람들에게 여러 가지 생각이 들게 만든 채로 말이었다.

"휘유.. 걱정했다니까."

"뭐 때문에요."

"이전에 일이 생각나서 말이야. 그것 때문에 네 녀석에게 이렇게 매번 심술이잖냐."

"그때는 극단주님의 아들인 것을 몰랐으니까요."

"그래. 말 안 해도 알아. 이번 배역은 충성심 넘치는 하인이라는 것을 말이지."

탈의실을 휘젓고 나간 극단주의 아들 톰을 처음 봤을 때였다.

2년이라는 시간이 지나갔지만 그 당시에도 안하무인인 녀석은 모두를 자신의 하인처럼 대했다.

처음 아버지를 따라 극단에 왔을 때 사람들을 무시하던 그와 맞닥뜨렸던 것이 하필이면 내부고발을 할 정도로 뚝심 있는 군대 장교 역할을 맡은 배우였다.

모두가 보는 앞에서 엄하게 군기를 잡은 일로 2년이 지난 지금까지도 괴롭히고 있었다.

"집에 가봐야겠어요."

"매번 이렇다니까. 집에 있는 아내가 얼마나 좋으면 월급날에 바로 들어가는 건지 말이야."

내일 보자는 마지막 인사말은 제대로 끝내지 못했다.

밖으로 가버린 줄 알았던 톰이 다시 들어와서는 공연이 끝난 극단을 정리하라고 지시했으니 말이었다.

그것은 당연하게도 아내를 보기 위해서 이제 막 집으로 출발하려고 했던 사람에게 시켜진 일이었다.

매일매일 공연장을 치우는 것은 맞았지만 이전의 극단주라면 절대로 하지 않을 공연 마지막 날의 청소였다.
그것을 벌써 2년째 시키는 것이었다.

"어... 괜찮겠어?"
"괜찮아요. 2년이면 적응할 때도 되었죠."

매번 그렇듯이 극단의 공연이 끝난 마지막 날에는 다들 술을 마시러 떠났다.
다들 술의 세계로 떠나서 그곳의 주민이 되는 날이었다.
한 사람만을 제외하고는 말이었다.

사람들은 공연의 마지막 날 톰이 청소를 시키는 것을 싫어한다고 생각하겠지만 실상은 달랐다.
극단원들과 술을 마시지 않기 위해서 매번 이유를 말하는 것은 귀찮은 일이었고, 아직까지도 기억이 또렷하게 남아 있는 수많은 사람들의 갈채와 박수가 쏟아진 장소에 홀로 서는 것은 감격스러운 일이었다.
다만 공연이 끝나고 난 후의 무대는 갈채와 박수가 없는 너무나도 적막한 장소라는 점이 아쉬울 뿐이었다.
공연이 끝난 마지막 날 평소보다 많은 시간을 보내고 나서야 무대 위에서 벗어날 수 있었다.

극단에서 자전거를 타고 꼬박 1시간 정도를 달려서야 마주할 수 있는 집이었다.

집이라고 해봤자 사람들에게는 낡은 트레일러일테지만 2명이 간신히 지낼 수 있는 그곳은 편안하게 살기에 문제될 것은 없었다.

끼이익

'맛있는 냄새'

"왔으면 씻고 나와요."

"알겠어요."

출입문을 열자마자 작은 트레일러 안에 가득한 냄새를 맡을 수 있었다.

주방에서 들려온 목소리는 어찌나 바쁜지 제대로 얼굴도 보이지 않았는데 목소리만으로 서로에게 인사를 건네고 씻고 나와서야 마주할 수 있었다.

이전에는 묘한 매력을 가지고 있었을 것처럼 보이는 생기 있는 여성.

얼굴에는 지친 기색이 여력하고 세월의 흔적이 보이지만 충분히 아름다웠다.

낡고 오래된 극단에서 허드렛일과 단역을 맡는 남자에게는 어울리지 않는 여자였다.

'단순히 세월 때문에 지쳐 보이는 것은 아니지만...'

"음식을 준비했어요. 어서 앉아요"

"맛있겠네. 그전에... 샌디."

“그렇네요”

여자는 천천히 다가와서 자신보다 작은 키의 남자 옆에 섰다.

이어서 얼굴을 남자의 오른쪽 귀쪽에 가져갔다.

남자는 깔끔한 성격은 아니라는 듯이 샤워를 하고 나왔는데도 배역을 위한 화장 자국이 남아있었다.

샌디는 그것을 손으로 문지르면서 입을 열었다.

“나의 옆으로 돌아와요”

“어....어...”

“이제 돌아왔죠?”

“어.... 우웁”

샌디는 옆으로 돌아오라는 말과 함께 휘파람을 불었다.

별거 아닌 일이었지만 그것을 들은 남자는 지친 기색으로 대답하고는 곧장 화장실로 달려나갔다.

당장이라도 입에서 쏟아질 거 같은 구토를 참아내면서 말이었다.

그렇게 화장실 안에서 한참을 쏟아내는 소리가 들리고 나서야 밖으로 나올 수 있었다.

“화장...실은.... 이따...가... 치..울...게요.”

남자의 변화.

방금 전까지 반듯하게 말하던 목소리와 분위기는 온데간데 없어지고 말을 더듬고 있었다.

말투뿐만 아니라 살짝 굽어진 어깨는 본래의 키보다 작아보이게 만들었고 얼굴도 다소 기운이 없어 보였다.

누군가가 이 변화를 봤다면 한순간에 사람이 변신을 했다고 생각했을 정도의 차이였다.

달그락달그락

"오늘은 어땠어요?"

"어..좋았....어요"

"마지막 날 아닌가요?"

"맞..아요..여...기"

품에서 꺼낸 것은 아까 받은 돈 봉투였다.

이번 공연이 끝나고 받은 보수였고 자존심을 버리면서 얻은 결과물이었다.

그것을 아내인 샌디에게 전부 주고는 몇 마디 대화를 하고 나서 자리에서 일어났다.

설거지에다가 구토로 더럽혀진 화장실을 치웠을 때에는 이미 요일이 바뀌어 있었다.

'하루 종일 청소만 하다가 끝났네.'

"오늘 진짜 괜찮았어요?"

"나...쁘지 않았...어요"

침대에는 마트 캐셔 일을 하느라 피곤한 샌디가 누워있었다.

하루하루 힘들게 보내는데도 삶에서 나아지는 것은 없었다.

그러한 삶 때문인지 그녀는 매일 괜찮냐는 말을 버릇처럼 물었다.

본인에게 하는 말이라는 것을 아는 데에는 오래 걸리지 않았다.

"알겠어요. 피곤할 텐데 얼른 자요."

아내와의 굿나잇 인사.

매일매일 반복되는 일이 돼버린 그것은 유일한 안식처가 집이자 그녀의 곁이라는 것을 상기시켜주는 의식이었다.

또한 계속해서 반복될, 피할 수 없이 마주하게 될 가혹하고 침울한 날들을 잠시나마 잊게 해주는 순간이었다.

눈을 뜨자 비가 올 거 같은 날씨에 걱정 먼저 들었다.

자전거를 타지 않으면 출근을 하기 어려운 상황에 아직 잠들어 있는 샌디보다도 먼저 출근길에 올랐다.

극단으로 향하는 길

현대식 갑옷을 착용하고 있는 사람들이 한 손에는 괴물도 잡을 거 같은 무게를 하나씩 들고 목적지로 가고 있었다.

'그에 비하면 나는 찢어진 거적때기를 입고 있는 거겠네.'

10년이 넘게 타고 다니는 낡아빠진 자전거

못지않게 오래 사용한 다 떨어진 신발과 옷들은 매번 이 도시와 맞지 않는 존재라는 것을 보여주는 듯했다.

매일 도시와의 이질감을 느끼며 극단에 도착하였다.

이질감은 극단에 도착해서도 느낄 수 있었는데 그것은 변화라는 이름으로 말해주고 있었다.

공연이 끝난 다음날, 모두에게 암묵적이고 의례적인 휴식날이었다.

조용하고 아무도 없을 것 같은 고요한 분위기를 풍겨야 할 극단이 오늘만큼은 그 선례를 깨고 있었다.

출근을 하자마자 돌아다니는 수많은 사람들과 그들의 입에서 쏟아지는 수많은 말들.

눈앞의 많은 사람들의 입에서 쏟아지고 있는 것들은 한 가지 이야기였다.

'극단을 넘긴다고?'

"너무 늦게 온 거 아니야?"

"어..... 네..."

"다시 얼빠진 모습으로 돌아왔네. 그것보다 조금만 더 일찍 왔다면 좋았을 텐데 말이야."

"무엇 때...문에 그렇...죠?"

"재밌는 일이 있었거든. 젊은 멍청이가 한바탕 일을 벌였지."

"극단...을 매각...하나요?"

제임스는 그 말에 놀란 기색이었다.

한편으로는 재미있는 말을 본인이 전달하지 못했다는 것에 상심하는 표정이었다.

"들었나 보네"

"지...금도 모두...가 떠들...잖아요."

"그건... 그렇네."

지금도 사방으로 이야기를 전달하려는 파랑새들이 잔뜩 있었다.

덕분에 알아채는 것은 어렵지 않았다.

제임스도 그것을 보고는 알겠다는 듯이 고개를 끄덕이고는 이제 막 들어오는 사람에게로 떠나갔다.

그도 오늘은 한 마리의 파랑새였다.

'이렇게 빨리 퇴근하는 건 처음인데...'

극단에서 일한 지 5년.

이렇게 일찍 집으로 가기 위해 자전거에 오르는 것은 처음이었다.

아침부터 정신없는 극단원들처럼 극단도 한두 시간 만에 문을 닫고는 안에 있던 사람들을 강제로 떠나보냈다.

그렇지 않았으면 아직까지도 떠드는 소리가 멈추지 않았을 거였다.

매번 지나는 길이였지만 시간의 변화만으로 모습은 달라져 있었다.

숨 막히는 표정으로 목적지로 향하던 무거운 분위기의 도시도 지금 시간에는 다른 분위기를 풍기고 있었다.

공원에서 햇살을 즐기고 있는 사람들.

웃으면서 어딘가로 가고 있는 젊은 사람들.

개중에는 아침에 잔뜩 찡그린 얼굴을 한 상태로 지나갔던 사람들이 웃고 있는 모습도 있었다

그런 변화가 나쁘지 않았다.

끼이익

"이...런 곳이 있...었네."

멈춰 선 곳은 항상 지나가던 곳이었다.
집에서 도시에 있는 극단을 갈 때의 경계.
그런 경계의 상징이 눈앞에 있는 다리였다.
오래전에 만들어져서 이미 붉은색으로 변해버린 다리는 누군가의 이야기로는 전쟁을 위해서 만들어졌다고 하였다.

자리를 잡은 곳이 다리 밑은 아니었다.
단지 주변을 따사롭게 만드는 햇빛을 다리가 막아줘서 생긴 응달이었다.
이름 모를 풀 위에 앉아서 담배 한 개비를 입에 물었다.
샌디가 알면 싫어할 만한 행동이었지만 거리의 불량배 역할을 하면서 배운 담배를 아직까지도 끊지 못하고 있었다.
그렇게 원래의 퇴근 시간까지 멍하게 흘러가는 강물, 다리를 지나가는 사람들, 그리고 이름 모를 풀꽃들을 보면서 보냈다.

끼이익

'기름칠 좀 해야겠는데'

벌써 며칠째 나는 소리였다.
이런 일을 용납하지 않고 몇 시간 안에 고쳐놔야 직성이 풀리는 샌디가 알아챘다면 한소리 들을게 분명했다.

듣기 싫은 자전거의 소리는 집에 왔다는 것을 말해주는 신호였다.

"오늘은 좀 빨리 왔네요."

"어?... 네..."

걸려있는 시계를 쳐다보았다.

농땡이를 피워서 평소 퇴근시간과 불과 몇 분 차이인데 일찍 끝난 것을 안다는 듯이 이야기하는 그녀였다.

거짓말 같은 것은 애초에 생각지도 못할 일이었다.

잘못한 일은 아니었지만 다리 밑에 앉아있었다는 것만으로도 죄책감을 느끼고 있었다.

"얼른 씻고 와요"

"알겠어...요"

화장실에는 평소와 같이 차가운 물이 나오고 있었다.

따뜻한 물로 샤워해 본 것이 언제인지 기억도 나지 않았는데 날씨가 후덥지근한 하루의 일과 속에서도 물만큼은 찬기를 품고 있었다.

"도와...주고 싶었...는데요."

"괜찮으니까 어서 앉아요."

씻고 나오니 이미 식탁 위에는 음식들이 놓여 있었다.

마트 캐셔 일을 해서 피곤할 텐데 그녀의 부지런함은 처음 만났을 때부터 지금까지 멈춘 적이 없었다.

“그래서 새로운 배역은 맡았나요?”

“어...”

음식을 입에 가져가려고 한순간 들려온 말이었다.

들고 있던 음식을 내려놓을 수밖에 없었다.

“그게... 사장 아들이... 극단...을 판...다고 하더...라고요.”

“극단을요? 재수 없는 녀석이 그럴 거 같기는 했는데”

차마 확실하지도 않은 다음 말을 할 수 없었다.

사람들의 입방아에 같이 오르내린 이야기.

일부는 극단을 매각하면서 잘릴 수도 있다는 것을 말이었다.

어쩌면 샌디는 그것을 생각했을지 모르지만 더 이상 묻지 않고 앞에 놓여 있던 음식을 접시에 덜어주는 것으로 마음을 써주었다.

평소와 같은 식사, 평소와 같은 잠자리에 드는 시간, 평소와 같이 옆에 누워있는 아내

“여보”

“네...”

“고민하지말고 어서자요. 괜찮을거에요.”

“알겠...어요.”

아이를 다독이는 듯한 다정한 말에도 쉽사리 잠이 오지는 않았다.

결국 잠깐 눈을 붙이는 것으로 밤을 가까스로 보내고 똑같은 아침을 마주했다.

마트 일때문에 먼저 출근한 샌디를 따라 자전거에 몸을 실었다.

만들어진지 오래되어 울퉁불퉁한 도로로부터 충격이 엉덩이까지 그대로 느껴졌지만 몸을 감싸는 바람 때문인지 자전거를 탈 때면 행복감을 느꼈다.

그것은 외지인의 입장에서 정신없이 바쁜 도시로 접어들면 느끼기 어려운 감정이었다.

끼이익

다리를 건너서 자전거를 잠시 멈춰 섰다.

항상 생각 없이 지나가던 장소

잠시 앉아서 시간을 보냈던 자리에는 아무것도 없을 것이라는 생각과는 달리 누운 흔적이 눈에 보였다.

자전거 페달을 밟으며 다시 차가운 도시로 향했다.

"평소보다 조금 늦었네?"

"네…"

그다지 대화를 하지 않은 극단원이었지만 대부분이 그랬다.

항상 같은 시간에 도착했기에 오늘만큼은 다리 위에서 시간을 보낸 것 때문에 물어본 듯했다.

사람들을 따라 무대가 있는 곳으로 들어가자 조용할 거라는 생각과 달리 어제만큼 시끌벅적한 모습을 볼 수 있었다.

"무슨.. 일이지..."

시끌벅적한 것은 그대로였지만 어제와는 다른 분위기였다.

주변에 있는 사람들의 표정은 불안감이 아닌 기쁨과 기대감으로 가득 차있었다.

개중에는 소리를 지르는 사람들도 있었는데 하루아침에 바뀐 변화를 지금 들어온 사람들은 이해할 수 없었다.

"어떻...게 된...거예요?"

"너답지 않게 늦었구나."

"도...대체 무슨 일이...에요?"

질문을 받은 극단원은 극단에서 제일 오래 있었던 배우 중 한 명인 제임스였다.

화려한 대학시절을 보냈던 그는 처음 올라간 연극 무대에서 사고로 한쪽 다리를 잃었다.

사고에도 불구하고 연기에 진심 인체로 벌써 20년이 넘도록 경력을 쌓아나갔지만 걷는 게 부자연스러운 그에게 주어진 역은 외발 무사나 전쟁 포로 정도였다.

"그 멍청이가 한건 했어."

"멍청...이라면..."

"멍청이라고 할만한 녀석은 극단주 밖에 없지. 극단을 녀석이 팔아버렸어."

"좋은...일인 건가요?"

"잘 팔았으니까. 극단을 산 곳이 잘나가는 스트리밍 미디어거든"

애초에 집에 TV도 없는 상황에서 스트리밍 미디어가 무엇인지 알 길이 없었다.

그래서인지 설명을 듣고도 모두가 왜 이리 신이 난 건지 정확히 알 수 없었다.

이곳에 있는 모두들 자신을 다른 곳에 소개할 때 극단의 배우라고 소개했다.

극단 밖의 차가운 현실에서 발버둥 치다가 마지막 안식처가 이곳이었던 것을 보았을 때 극단이 팔렸다는 말에 기뻐하는 모습은 이해할 수 없는 것이었다.

"한 명 정도는 스타가 나올 수 있다는 환상을 가지게 된 거지."

"좋은.. 일이네요..."

신나있는 극단원들을 뒤로하고 탈의실로 걸어갔다.

항상 조명이 켜져 있는 무대와 대조되듯이 어두컴컴하고 오래된 먼지 냄새만 가득한 장소.

다행이라면 전기세마저 아까운 상황에서 샌디와 함께 제일 먼저 적응한 것이 깜깜한 어둠이라는 것이었다.

후우

"콜..록... 콜록.. 여기.. 있었네요..."

지나가다가 갑작스럽게 내뱉어진 담배연기에 한참 동안이나 기침을 하였다.

탈의실 앞의 조그마한 공간.

그곳에 사람이 한 명 앉아있었다.

어두운 공간에서 파이프 담배를 빠는 작은 소리와 지독한 담배 냄새가 아니었다면 있었는지 모를 만큼 작은 남자였다.

"니 녀석도 신나 보이지는 않네."

"여기...가 좋거...든요.."

"나도 그래. 아니 나는 사실 이곳이 싫지... 싫은데..."

이제는 깜깜한 곳에서 그의 얼굴 표정까지도 어렴풋이 보였다.

잔뜩 일그러져 있는 표정으로 연신 아끼던 파이프 담배를 빠는 그의 모습에는 갈 곳 잃은 어린아이의 모습이 담겨있었다.

매일 투덜대는 것으로 유명한 난쟁이 극단원 해리였다.

버릇처럼 찡그리고 있었기에 웃는 것을 본 게 손에 꼽을 정도의 남자였고 한때는 신체적 특징 때문에 방송에도 출연했었다고 했다.

비록 한순간도 인기를 누리지 못했지만 말이었다.

"다른 녀석들은 아직도 파티 분위기지?"

"네.."

"시궁창 속에서도 더 시궁창이 있는지도 모르고 기뻐하는 모습하고는... 네 녀석은 이런 날까지 청소하려는 거 보니 책임감이 있다니까."

"할 일... 이여...서요."

청소를 안 해놓으면 극단주가 어떤 짓을 할지 몰랐다.

지금은 사람들 틈에서 기쁘게 웃고 있지만 한순간에 분위기나 기분이 바뀌는 게 일상인 사람이었으니까 그 점 때문인 것을 알고 있는지 해리는 파이프 담배를 몇 번 더 빨더니 그대로 자리를 박차고 일어났다.

그가 향한 곳은 사람들의 환호소리가 들려오는 밖이 아니라 조용히 있을 수 있는 안쪽이었다.

어둡고 아무도 오지 않을 그곳에서 시간을 보내려는 모양이었다.

'아무 일도 없겠지.'

옆에 있어주는 것 때문에 시간을 너무 많이 소비해버렸다.

급하게 탈의실에서 옷을 갈아입고 일과를 시작했다.

극단을 청소하는 것. 그것이 주된 일이었다.

간혹 사람이 부족할 만큼 많은 배역이 있는 연극이 아니라면 아무 역할도 맡지 못하고 옆에서 구경만 해야 했다.

극단이 팔렸다는 소식이 전해진 날.

종일 기뻐하는 사람들 틈에서 청소를 하고 집으로 돌아왔다.

집이라고는 트레일러를 개조한 좁은 곳이었지만 세상에서 유일하게 편하게 있을 수 있는 곳이었다.

오늘은 수요일, 샌디가 잔업으로 인하여 늦게 퇴근하는 날이었다.

앞으로 2시간 정도는 혼자 있을 수 있었다.

"멈추어라, 너 정말 아름답구나."

아무에게도 방해받지 않고 가장 좋아하는 연극의 대사 한 구절을 내뱉어본다.

괴테가 만든 역작 파우스트

작년에 극단에서 공연했던 것이었다.

어떻게든 배역을 받고 싶어서 노력했던 것과 달리 현실은 무대 뒤에서 보조를 하느라 구경조차 하지 못했다.

속이 좁은 극단주는 청소를 하면서도 틈틈이 무대 위를 보려는 노력을 말도 안 되는 이유들로 헛되이 만들어 고통스럽게 만들었다.

"다녀왔어요."

샌디의 목소리였다

파우스트의 대사를 외우다가 깜빡 잠이 들은 모양이었다.

자주 이런 일이 있었지만 오늘은 그러면 안 되었다.

그녀가 오기 전에 저녁 준비를 해놓아야 했으니 말이었다.

"어... 왔...어요?"

"잠자고 있었나 보네요."

"네..."

"저녁 준비는 당연히 안 해놨겠죠? 걱정 말아요. 내가 음식을 가져왔으니까요."

샌디는 이런 여자였다.

항상 밝고 사랑스러운 여자.

바보 같은 실수들까지도 사랑하고 감싸주는 여자였다.

"오늘은 어땠어요?"

평소와 달리 식탁에 앉자마자 질문을 하였다.

아닌 것처럼 행동했던 것과 달리 어제 전해준 극단의 매각

소식이 못내 신경 쓰인 모양이었다.

하루 종일 뭐라고 말해야 할지 고민했던 것과 달리 평상시에 먹는 것만 잘하는 쓸모없는 입에서는 제대로 말이 튀어나오지 않았다.

"어... 음..."

"천천히 말해도 괜찮아요."

"극...단이 팔...렸데요."

"진짜였군요."

초승달 같던 눈동자가 동그랗게 변했다.

어제 넌지시 말은 꺼냈지만 당혹스러운 일일 터였다.

한 사람의 월급만으로는 더러운 트레일러에서도 쫓겨나 어디로 가야 할지 모르니 말이었다.

"그래서요?"

"유명...한 스트...리밍에 팔았다...더라고요. 그곳에...서 대부분 일을 하게 될...거래요."

"다행이네요."

"당...신은?"

"나는 별다를 게 없죠. 내일 또 잔업을 해야 하는 것 말고는요."

"알겠어... 요 내일...은 저녁 잊지... 않을...게요."

"아니요. 기다리지 말고 먼저 먹어요. 늦을 테니까"

침대에 누운 샌디는 하루가 얼마나 힘들었는지 금방 잠이 들었다.

당장 내일 극단에서 조금이나마 있던 자리가 어떻게 될지 모른다는 걱정 때문일지 쉽사리 잠이 오지 않았다.

걱정과 달리 시간은 얄궂게도 금방 지나갔다.

"빨리 나왔네?"

"네..."

평상시와 비슷한 시간에 극장에 도착했다.

그렇지만 극단 문 앞에서 반겨준 것은 절대 이시간에 볼 수 없을거라고 생각했던 극단주였다.

직원들이 들어갈때마다 한손에는 수첩을 들고 뭔가를 계속 적고 있었다.

"잠깐 일로 와봐."

마주쳐서 좋을 일 없다고 생각했고 그렇게 해왔다.

피해서 들어가려고 생각했었건만 기어코 불러 세운 것이였다.

눈빛

이제는 완전히 극단주로 인정받은 듯한 그의 눈빛은 자신보다 약한 먹잇감을 찾는 어떤 육식동물과 흡사했다.

마트에 갔다가 진열된 텔레비전에서 봤던 이름 모를 동물이였다.

자신보다 작은 먹잇감을 노리고 한참이나 쳐다보던 동물.

"겁먹지 말라고"

"네..."

"다른 사람에게 말할만한 게 아니라서 그런데 자네는 입이 무겁겠지."

“네..”

다른 사람에게 말할 게 아니라면 말하지 말라는 말은 목구멍 속에 넣어뒀다.

말을 꺼내는 순간 먹잇감이 자신으로 바뀔 수도 있다는 생각이 들었으니까

지금 눈앞의 남자의 먹잇감은 다른 인물인 듯했다.

“알다시피 합병을 하게 되었는데 인원이 좀 많잖아.”

내내 불안해하던 이야기였다.

합병을 하는 과정에서 모든 사람들이 재계약될 수 없다는 것을 알고 있었다.

이 극단에 있는 모든 사람들이 아는 사실이었다.

어제 모두 웃고 떠들었지만 그것은 자신들의 불안감을 감추기 위한 것일지도 몰랐다.

다만 배우들이였기 때문에 그것이 진실인지 알 수 없었을 뿐이었다.

“절반은 나가는 것으로 계약을 해버렸거든. 아버지가 아시면 화내실 일이지만 성공을 위해서는 포기해야 할 부분도 있는 거지.”

“네...”

“그래서 누구를 내보내야 할지 확인 중이야.”

그제야 이것을 말하는 이유를 알 수 있었다.

누군가에게 향해 있는 줄 알았던 먹잇감을 노리는 눈빛은 극단 모든 사람에게 향해있었다.

그리고 극단주의 눈앞에 있는 초식동물도 예외는 아니었다.

"가봐. 앞으로 남은 시간 제대로 하라고"

"알겠...습니다."

안으로 들어가자 먼저 와있는 사람들의 모습이 보였다.

그중에는 항상 지각을 일삼던 경험 많은 배우들도 포함이었다.

평소와는 다른 모습들을 보여주고 있었다.

'다들 알고 있었구나.'

"늦었네."

"제임스.. 다들 빨...리 나오...셨네요."

"너에게도 말해주고 싶었지. 연락처가 없어서 방법이 없었어."

그의 말은 사실일 거였다.

눈앞에 있는 제임스는 말해주려고 한 게 틀림없을 것이었다.

다만 이미 6개월 전에 돈을 아끼기 위해서 끊어져 버린 전화가 문제였다.

휴대전화는 있을 리 없었고 말해주기 위해서 1시간이나 걸리는 도시 밖까지 와줄 사람은 없었다.

극단 사람들 대부분이 도시 안에 살고 있었는데 상황이 아무리 힘들어져도 포기하지 못하는 것이 있다면 도시 안의 삶이었다.

극단 사람들은 삶에 도움이 되지 않는 배우라는 자존심을 지키기 위해서 무리하면서까지 비싼 값을 치르고 있었다.

그것은 극단원들이 아니어도 많은 사람들에게 해당되는 것인지 매달 한 명씩은 도시에서 무리한 집값에 허덕이다 죽는다는 말이 나오고 있었다.

신경 써주는 제임스였으니 빈말이 아니라 알려주려고 했을 거였다.

연기력이나 성품을 보았을 때 다리만 멀쩡했다면 이런 곳에 있을 인물은 아니었다.

"죽을 상을 하면서 안 온다더니 오기는 했네."

"한쪽 발을 들면 허수아비 주제에 싱글벙글 웃기는…"

극단에서 찌꺼기 3인방이라고 별명 붙여진 나머지 한 명이었다.

어제 극단 뒤에서 담배를 피우고 있던 해리.

키가 작은 해리, 한쪽 다리가 없는 제임스, 말을 더듬는 3명을 합쳐서 극단주는 찌꺼기 3인방이라고 불렀다.

"극단주는 만났지?"

"아침부터 늦은 나를 보고 싱글벙글이던데. 어린 녀석이 말..."

해리는 방금 들어온 문으로 걸어오는 극단주를 보고는 입을 다물었다.

키와 덩치와 달리 누구에게도 지지 않고 덤벼드는 터프한 그였지만 돈과 지위 앞에서는 얌전해질 수밖에 없었다.

아이러니하게 항상 투덜대는 것과 달리 극단에서의 위계질서에 대해서 알고 있는 사람이였다.

"여기 모여 있는 건가?"

"각자 할 일 하려고 했습니다."

약속이라도 한 것처럼 3명은 다른 방향으로 흩어졌다.

포식자를 피하는 정어리 떼처럼 흩어지면서 잡히지 않기를 바랄 뿐이었다.

오늘 포식자의 공격을 받는 것은 제일 늦게 도착한 해리인 듯했다.

그의 뒤를 쫓아 걸어가는 극단주의 그림자가 보였으니 말이었다.

끼이익

라커룸에는 아무도 없었다.

그도 그럴 것이 대부분은 청소를 하려고 옷을 갈아입지 않으니 말이었다.

다른 사람들은 연기 연습에 한창일 거였다.

"3시까지 모이라네. 이번에는 알려줬다."

"네..."

옷을 다 갈아입기 무섭게 제임스가 들어와서 말해줬다.

그는 다른 사람들에게도 말하기 위해서인지 곧바로 나가버렸다.

3시에 모이라는 이야기.

극단주가 무슨 말을 할지는 모르겠지만 이곳에서 계속 일을 할 수 있을지 없을지를 알 수 있을거였다.

매일 평온함을 주었던 극단의 어두운 분위기가 오늘따라 차갑게 느껴졌다.

오후 3시

청소를 모두 마치지 못한 시간이었다.

무대가 있는 곳에 들어갔을 때에는 극단의 사람들이 자리에 앉아서 기다리고 있었다.

조용히 뒤로 이동해서 자리에 앉자 제임스와 해리가 반겨주었다.

“이런 순간에도 지각이냐“

“청...소 때문...에요.“

“오늘까지도 청소라니 너도 참 답답하다. 당장 내일부터 그만 둬야 할지도 모르는데 말이야.”

해리의 핀잔에는 이미 익숙해진지 오래였다.

까칠하게 말하지만 모든 말들이 신경 써주는 것이라는 것쯤은 알고 있었다.

무슨 말을 더 꺼내려던 그는 무대 위로 올라오는 극단주를 보고는 멈추었다.

한 사람의 등장에 모든 사람들이 긴장하는 것이 눈에 보였다.

개중에는 주먹을 꽉 쥐는 사람도 있었다.

“긴장할 필요 없는데 분위기가 이상해지네.”

“저 자식은 여전히 반말이네.”

해리가 근처의 사람들만 들을 수 있는 혼잣말을 내뱉었다.

사람은 죽기 전까지 변하지 않는다더니 처음 봤던 학생 시절부터 지금까지 존댓말이라고는 없는 망나니였다.

죽기 전까지는 존댓말을 듣기는 어려워 보였다.

"다들 이야기는 들었을 테니까 짧게 말해도 될 거 같은데. 이따가 골프 약속이 있어서... 극단을 합병하면서 인원을 줄여야 하는 상황인데 합병한 곳에서 특별한 조건을 내걸었다."

"특별한 조건?"

맨 앞에 있던 사람을 시작으로 웅성거림이 커져갔다.

조금만 있으면 특별한 조건이라는 것에 대해서 들을 텐데도 잠시도 기다리지 못하는 사람들이였다.

시끄러운 말들은 극단주의 손짓 한 번에 사라졌다.

오케스트라의 지휘자 같은 포즈를 취하며 결과에 만족한 그는 나이만 어릴 뿐이지 악독함 그자체였다.

"다음번 작품에서 괜찮은 평가를 받은 사람만 이곳에 남을 거라는 이야기지."

특별한 조건에 대해서 밝혀졌는데도 사람들의 웅성거림은 더욱 커져만 갔다.

사람들의 궁금증은 다른 곳으로 번져갔다.

자신들이 배역을 맡을 수 있는지?

어떤 배역을 맡게 되는 건지?

자신들이 잘할 수 있을 것인지?

수많은 궁금증이 떠올랐지만 걱정을 하는 사람은 없었다.

대부분이 평생 조연만 했던 사람들이었지만 지금 눈앞의 기회에서는 모두의 머릿속에 떠오르는 주인공은 한 명뿐이었다.

"작품은 뭡니까?"

"관심이 없는 줄 알았더니 아닌가 보네."

"앞으로 해야 할 일이니까 그렇습니다."

정곡을 찌른 듯했다.

연기 감독의 말과 표정은 침착했지만 무의식적으로 자신의 오른팔을 긁고 있었다.

잔뼈가 굵은 극단원들 중 상당수가 자신들만의 연기 버릇을 가지고 있었고 연기 감독은 연기를 하는 순간 팔을 긁는 것이었다.

극단에서 오래 있었던 제임스의 이야기로는 그러한 버릇이 없는 배우는 말을 더듬는 한 명뿐이라고 하였다.

"작품은...."

각자 원하는 작품을 생각하고 있을 것이었다.

이제 막 끝낸 햄릿, 작년에 공연한 캣츠, 가장 성공했던 레미제라블

조금이라도 자신에게 유리한 작품이 선정되길 기대하면서 말이었다.

"지킬 앤 하이드."

"지킬 앤 하이드? 뮤지컬?"

오래된 작품이었다.

그렇지만 공교롭게도 극단에 한 번도 포스터가 붙지 않았던 작품이었다.

극단주의 말은 거기서 끝이 아니었다.

"뮤지컬은 아니고 지킬 앤 하이드를 현대적으로 재해석한

드라마가 될 거야."

웅성거림은 이제 멎을 줄을 몰랐다.
극단주의 권위 섞인 말에도 말이었다.
파도가 들어왔다가 나간 것처럼 주변을 장악하던 소음이 한순간에 사라진 것은 모두가 똑같이 궁금해하는 질문이 던져졌을 때였다.

"배역은 어떻게 나누죠? 그게 아무래도 중요할 테니까요."

물어본 사람은 의외의 인물이었다.
항상 불평불만을 입에 달고 살아 이번에 극단이 팔렸을 때도 마찬가지였던 사람.
누구보다도 지금 불안감을 느끼고 있는 옆자리의 난쟁이 해리였다.
강한척하지만 정작 나서서 말 한마디 못하던 그가 작은 팔을 높이 들기 위해 의자 위에 일어나기까지 했다.

"배역은 감독님이 직접 정해서 통보해 줄 거야. 이제 질문은 안 받을 거니까 그런 줄 알라고."

추가적으로 질문을 하려고 극단원들이 손을 들었지만 극단주는 그대로 나가버렸다.
일일이 질문을 받아줄 필요가 없다는 듯한 태도였지만 급하게 떠나는 뒷모습에서 어쩌면 나머지 일은 하나도 모르는 것은 아닐까 하는 생각이 들었다.
극단원들은 각자 지금 상황에 대해서 떠들어대고 있었다.

“감독이 배역을 정해주겠다고? 그 녀석이 뭘 안다고”

“능...력이 있겠...죠.”

“그래서 네가 멍청하다는 거야. 우리 극단에서 공연 한 번이라도 봤을 거 같아?”

해리가 연신 불만을 토해내는 것을 제임스가 만류했다.

그렇지만 그의 이마에도 깊은 주름이 자리했다.

대부분의 사람들에게는 기회로 받아들여지겠지만 찌꺼기 3인방은 아닐 확률이 높으니 말이였다.

극단에서 퇴출되는 예상 순서를 세운다면 순위권이었다.

“감독이라는 사람 누구인지 모르겠지만 전권을 가지고 있을 것이 분명해.”

“그러...면...”

말을 끝마치지 못했다.

잔뜩 화가 난 연기 감독의 목소리에 사람들은 끼리끼리 흩어졌으니 말이었다.

해변의 게들처럼 순식간에 사라졌지만 다들 하루 종일 어떤 이야기를 할지는 분명했다.

이제 새로운 작품의 제목을 알고 있으니 전혀 모르는 감독의 마음에 들기 위해서 각자의 나름대로 준비를 할 거였다.

“너는 청소할 테고 제임스는 뭐 할 거지?”

“도서관에 가서 책이라도 빌려봐야지.”

"역시 공부한 사람은 준비도 본격적이라니까."

"대단 하...네요. 이...따가 같...이 가도 될까...요?"

"청소 끝나고 같이 가보자."

언제부터 연기를 시작했는지 기억은 없었다.

극단에 가는 것을 좋아하는 아내의 추천으로 이곳에서 일한 지 벌써 꽤나 시간이 지났다는 것이 전부였다.

당연하게도 가난한 형편 때문에 연기 수업 한번 들어보지를 못했고 무대 뒤에서 어깨너머로 배운 게 전부였다.

아니면 지금처럼 제임스를 따라 시립도서관에서 책과 음악을 보는 것이 전부였다.

"여기에 있어. 일로와."

"네..."

제임스의 조용한 목소리를 따라가 책꽂이에 있던 지킬 앤 하이드를 집어 들었다.

글을 제대로 읽게 된 지 얼마 되지 않아서인지 생각보다도 두꺼운 책에 거부감이 밀려왔다.

"6권 있던데 벌써 빌려 간 사람이 있을지도 모르겠네."

제임스와 한 권씩 쥐어들자 책꽂이는 비어버렸다.

어쩌면 4권은 극단의 다른 사람이 빌려 갔을지도 모를 일이었다.

도서관의 바코드 기계 앞에서 책을 찍고 있었다.

말로 표현하기 힘든 소리와 함께 잠시나마 마음 편히 책을 볼 수 있게 되는 순간이었다.

"너도 폴 기억하지?"

"알...죠."

"이 기계가 생기지 않았다면 녀석도 잘리지 않았을 거야."

매번 책을 대출해 주는 기계를 쓰면서 듣는 이야기였다.

비록 만난 적은 없지만 웃음이 많고 친절한 도서관 사서 폴

눈앞의 대출 기계가 생기기 전에 일을 했고 그 자리를 빼앗긴 사람이었다.

지금은 어디 있는지도 모를 그를 기억해 주는 것은 책을 빌리는 제임스뿐일지 모를 일이었다.

"시민들이 기계를 이용할 수 있도록 안내하는 역할을 맡긴다고 했지만 떠나버렸지. 우리도 언젠가 기계 덩어리들에게 자리를 빼앗길지도 모를 일이야."

"기...계가 연기...를 할 수는 없...죠."

"그건 그렇지만 사회에서 가뜩이나 좁은 발판마저도 없어질 수 있지."

그의 말에 당장 미래를 알 수 없게 된 극단이 떠올랐다.

평생 일할 수 있다고 생각했던 것이 불투명해져버린 현실에 대해서도 말이었다.

그저 망상일 수 있지만 미디어가 발달하지 않았다면 평생토록 남아있을지도 모를 일이었다.

책을 가지고 집에 들어갔을 때에는 웬일인지 샌디가 먼저 와있었다.

"늦었네요?"

"도서관에... 갔다 왔어요..."

다행히도 자세한 이야기는 물어보지 않았다.

평소와 같은 일상이었다.

다만, 서재에 꽂아놓은 책들 뒤의 비밀공간에 빌려온 지킬 앤 하이드를 숨겨놓은 것만 빼면 말이였다.

샌디 몰래 써먹는 비밀공간이었다.

'어떤 배역을 맡는지까지만 보자.'

악역을 맡는다면 기회마저도 포기할 수밖에 없을 것이었다.

걱정할게 분명한 아내가 허락하지 않을 테니까

그렇지만 어떤 배역을 맡을지 정도는 기다려도 될만했다.

"잘 자요."

"잘...자요."

사랑하는 사람에게 하루의 마지막 인사도 제대로 못하는 모지리

샌디는 그런 사람도 사랑해 주었다.

평소와 같은 시간에 극단에 도착했다.

가방 안에는 아침 일찍 일어나 책꽂이 뒤의 비밀공간에서 꺼낸 지킬 앤 하이드가 들어있었다.

도움이 될지는 모르겠지만 시간이 남는다면 읽어볼 심산이었다.

"무...슨 일이...에요?"

입구에 들어가자마자 극단원들이 모여있는 것이 눈에 들어왔다.

불안한 마음으로 다다른 장소는 극단의 게시판이었다.

극단원들은 매일 지나다니면서도 볼 일 없는 장소.

관람객들에게 앞으로 공연할 작품을 소개하는 공간이였지만 지금은 모두가 모여있었다.

"각자 무슨 배역을 맡을지 나왔거든."

몇마디 대화만 했던 극단원.

자신의 배역을 확인했는지 걸어나오면서 말해주는 그의 얼굴에는 미소가 가득했다.

마음에 드는 배역을 맡은 듯 했다.

"저 사람들 틈에서 확인할 건 아니겠지?"

기회마저 받지 못했을 거 같다는 긴장감 때문인지 누군가 다가오는지도 몰랐다.

어느새 온 것인지 제임스와 해리가 옆에 서있었다.

둘 다 자신의 배역을 확인하려는 눈앞의 사람들처럼 기대가 가득한 눈빛이었다.

"청소...부터 하고...요."

"쓸데없이 성실하다니까. 지금 네 녀석이 청소 안 한다고 신경 쓸 사람 한 명도 없어."

"그...래도 해...야죠."

해리는 이해 못 하겠다는 듯이 몇 마디 잔소리를 하고는 가버렸다.

향하는 곳은 게시판이 아니라 극단의 뒷문이었는데 담배를 한 대 피우려는 거 같았다.

키가 작은 만큼 폐도 작을 테니 담배를 끊겠다는 자조 섞인 농담을 하는 그였기에 다시 담배를 피운다는 것이 어떤 의미인지 말해주고 있었다.

"해리도 걱정하는 거야. 우리 셋 모두 배역하나 받지 못할까 봐."

"알...아요. 생각...보다 섬세하...니까...요."

"그런 것까지 알고 있었다니 의외네."

사교성이 좋은 제임스는 주변 사람들에게 인사하며 걸음을 옮겼는데 마찬가지로 게시판이 목적지는 아니었다.

이제는 정말 청소를 하러 가야 했다.

무대 위로 올라갈 수 있는 몇 분 안되는 소중한 시간이 마지막이 될지 모르니 조금이나마 누려야했다.

무대 위에서 보낼 수 있는 시간을 조금이라도 늘려보려는 노력이었지만 때때로 극단원들의 연습 때문에 기회를 날려버릴 수도 있었다.

상상력이라는 것은 언제든 텅 빈 무대를 가득 채워주었다.

꺼져버린 조명 속의 필라멘트에서 무대를 비추는 환한 빛을 끄집어내고 낡은 옷은 주인공의 화려한 옷으로 변했다.

들고 있는 낡은 빗자루는 평생 맡을 리 없는 주인공의 소품이 되고 쓰레기통은 다른 배우가 되었다.

공기 중에 떠다니는 먼지와 손이 닿지 않아 쉽사리 없애지 못하는 거미줄은 화려한 무대장치가 되었다.

다만 비어있는 좌석의 그림자에서만큼은 환호하는 관중들을 만들어내지 못한다.

짝짝짝

"연습하는 거죠?"

적막감을 깨는 박수소리에 이은 처음 듣는 남성의 목소리.

고개를 돌려서 한참을 응시하고 나서야 관객석 어두운 부분에 사람이 있다는 것을 알 수 있었다.

'언제부터 있던 거지...'

무대 위로 올라왔을 때.

빗자루를 움켜쥐고 그럴듯하게 대사를 말하기 시작했을 때.

마지막 대사를 외치며 기쁨으로 자그마한 고함을 질렀을 때.

무엇이 되었건 부족한 연기를 선보인 것에 대한 창피함과 걱정이 몰려왔다.

극단주뿐만 아니라 극단원들도 무대 위에서 연습한 걸 알면 신성한 무대를 더럽혔다며 화를 낼 것이었다.

"몰래 본 것은 죄송하지만 고의는 아니었습니다."

"아닙...니다."

어두운 관객석에서 빛이 있는 무대로 나온 것은 미중년의 남자였다.

짙은 갈색 머리카락과 시원시원한 얼굴을 가진 그는 매력적인 미소를 띤 체 자신 있게 걸음을 옮기고 있었다.

아무도 없을 때에야 겨우 올라와볼 수 있는 무대를 그는 거리낌 없이 넘어들어왔다.

"극단 소속인 거죠?"

"네..."

자신 있어 보이는 모습 때문인지 매력적인 인상에도 경계심이 먼저 들었다.

공연이 없는 날에 누군지 모를 사람이 이곳까지 들어와 있는 것도 이상한 점이긴 했다.

"나쁘지 않았어요. 다만 속 안에 무언가를 숨기고 있는 거 같네요."

말과 함께 꿰뚫어 보는 눈빛이 직시했다.

어디에서 누구를 만나도 주눅들 거 같지 않을 거 같은 자신감 넘치는 눈빛은 본래의 의도와 다르게 몸을 옭아매는 동아줄처럼 다가왔다.

"자신을 숨기지 말고 좀 더 표현하면 좋을 거 같네요."

아무 반응이 없는 것을 보고는 멋쩍은 듯이 악수를 하고는 자리를 떠났다.

정중하게 고개까지 살짝 끄덕인 후 사라졌지만 잠깐의 시간마저 불편했고 이미 청소시간은 끝이 나서 연기 연습을 하러 사람들이 들어오고 있었다.

아까운 시간만 버린 셈이었다.

"청소가 끝난 모양이네."

"어...디 있었...어요?"

"매번 그랬던 것처럼 연습실."

제임스가 보지는 못했을 거였다.

몰래 무대 위에서 연기를 할 순간에 제임스는 자신만의 연습실에서 빌린 책을 읽느라 집중했을테니 말이었다.

덜떨어진 3인방은 빛나는 무대보다는 아무도 없고 어두컴컴한 무대 뒤의 공간을 좋아했다.

"이제 배역이 있는지 보러 가야지."

"같...이 가요."

게시판 앞에는 더 이상 사람들로 붐비지 않았다.

자신의 배역이 어떤 것인지 모두들 궁금했기에 이미 확인했을 거였다.

자신 없는 사람들 한두 명만이 뒤늦게 확인할 터였다.

"해리도 이제서야 확인하네."

"표정...이 좋아...보이는데요."

항상 얼굴의 일부분을 찡그리고 있는 해리.

그것이 연기의 후유증인지 성격 때문인지는 모르겠지만 지금 게시판 앞에 있는 그의 얼굴은 기쁨으로 가득 차 있었다.

환호성이라도 지르고 싶어 하는 것처럼 우스꽝스럽게 웃는 그는 이쪽을 보고 짧은 다리를 열심히 움직였다.

"왜 이제 오는 거야?"

"뭐...가 그렇...게 행복...해요?"

"아직 게시판을 못 봤나 보구나. 우리 셋 다 주연이야."

"주연?"

제임스는 그 말에 정신없이 뛰어갔다.

의족 때문에 급한 상황에서도 뛰는 것을 본 적이 없었던 그였다.

불편할 텐데도 아랑곳하지 않고 넘어질 듯이 달려나갔다.

짧은 거리인데도 몇 번이나 아슬아슬하게 넘어질 뻔하며 게시판 앞에 도착할 수 있었다.

"맙소사"

게시판에 붙은 종이를 보고는 비명소리 같은 말을 내뱉었다.

동그랗게 떠진 눈과 한껏 올라간 입꼬리

그도 해리와 다를 것 없는 표정을 짓고 있었다.

"주연이야."

믿을 수 없는 말의 진위 여부를 옆에서 확인할 수 있었다.

게시판에는 몇 장의 종이가 붙어있었다.

제임스가 이름을 찾기 쉽게 손가락으로 가리킨 곳에는 3명의 이름이 연달아 적혀있었다.

제임스-1화 빌런(주연)

해리-2화 빌런(주연)

3화의 빌런에서 나머지 한 명의 이름을 확인할 수 있었다

주연이었다.

“어...떻게...”

“우리들도 인생이 핀다는 거지. 한잔하러 가자고 내가 살 테니까.”

아직까지 충격에 빠진 둘과 달리 해리는 기쁨을 누리고 있었다.

평소 커피 한잔 사는 것도 아까워하는 그가 술을 사겠다고 말하니 말이었다.

비록 이번에도 말뿐이겠지만 말이었다.

“살다 보면 기회라는 것이 2번은 온다더니... 이번에 우리 3명에게 한 번에 왔나봐.”

“그런...가 봐...요.”

기뻐하는 해리와 제임스에게 떠밀려 극단 밖으로 내걸었다.

주연이라는 어색한 단어에서 기쁨과 불안감을 동시에 느끼면서 말이었다.

끼이익

기름칠하지 않은 문이 열리는 소리였다.

집에 들어왔다는 것을 알려주는 그 소리와 함께 몸을 안으로 들여보냈다.

어두컴컴한 그곳에서 인기척이 느껴졌다.

"늦었네요."

샌디가 먼저 와서 부엌에 기다리고 있었다.

테이블에는 잔뜩 쌓인 고지서들이 어지럽게 퍼져있었다.

그것들은 방금까지 느꼈던 감정들을 날려보내기에 충분했다.

"제임…스가 한…잔 샀…어요."

"그래요."

"술…은 안 마…셨어요."

원래도 술을 마시지 않지만 샌디가 걱정할까봐 한 번 더 말하였다.

퍼져있는 고지서들 때문인지 샌디의 표정이 안 좋아 보였기 때문이었다.

"돈…이 부족…한가요?"

"아니에요. 다른 일 때문에 그래요."

더 이상 묻지 말라는 굳은 얼굴.

그녀는 때때로 고민이 있어 보여도 표정으로 묻지 못하게 만들었다.

그럴 때면 말을 더듬는 부족한 사람의 옆에서 혹여 떠날까 두려워 차마 묻지 못했다.

어째서인지 항상 옆에 있어주고 사랑해 줄 것만 같은 그녀에게서 불안감을 느끼니 말이었다.

"극단에서 다음 공연은 나왔어요?"

"네. 지킬...앤... 하이드...에요."

"지킬 앤 하이드?"

"네..."

고지서 쪽으로 향해있던 눈이 똑바로 보고 있었다.

호수같이 깊은 눈동자가 박혀있는 아름다운 얼굴.

관용적으로 사용하는 말이었지만 샌디의 눈을 보고 있노라면 그 의미를 알 수 있었다.

그렇지만 아름다운 얼굴은 한층 더 고민이 깊어졌다는 듯이 미간을 잔뜩 찡그리고 있었다.

"배역은 뭘 받았어요?"

"아직... 배역...은 안.. 나왔...어요."

"그래요?"

무심코 거짓말을 해버렸다.

평소라면 하지 않았을 테지만 책상 위에 있는 고지서들은 하지 않을 일마저 하게 만들었다.

"악역은 맡으면 안 돼요."

"알…았어요."

악역을 맡은 걸 알게 된다면 눈앞에 쌓여있는 고지서들을 알고 있어도 연기를 하지 못하게 했을테니 말이었다.

준비된 것이든 준비되지 않은 행동이든 결국에는 거짓말을 하는 방법 밖에 없었다.

혹시 무언가 잘못되려고 한다면 그때에는 샌디가 막아줄 수 있을 거였다.

다시 돌아올 수 있도록 말이다.

"먼저 자요."

"네..."

침대에 먼저 몸을 누웠다.

그날 저녁은 평소와 달리 걱정과 설렘을 같이 안고 잠이 들었다.

내일부터는 맡은 배역을 위해서 연기를 준비해야 했다.

"다들 모여보도록"

평소와 같이 출근했을 때 극단원들 대부분이 도착해있었다.

어제 늦게 공지한 대로 연습실에 모였을 때 극단주는 한 남자와 같이 들어왔고 자연스럽게 사람들의 관심을 모았다.

본 적 있는 남자가 서있었다.

"새로운 감독님이시다. 박수"

"론입니다. 반갑습니다."

군인 출신이라고 알려진 연기 감독의 간결하고 절제된 소개에 맞춘 인사였다.

새로운 감독은 어제처럼 깔끔한 정장과 매력적인 미소를 가지고 있었다.

짤막한 소개가 끝나자마자 사람들의 박수가 쏟아져 나왔다.

"아...는 사람...인가요?"

"요즘 유명한 감독이야. 실력으로도 특이한 걸로도 말이야."

"특별한 거라고 해야지."

해리의 특이함이라는 단어를 제임스가 특별함으로 고쳐줬다.

그도 눈앞에 서있는 감독의 추종자인 듯이 불편한 다리를 이끌고 맨 앞으로 가기 위해서 사람들을 비집고 있었다.

첫인상이 별로였던 것과 달리 사람들의 얼굴에는 극단이 스트리밍 회사에 팔렸다는 말을 들은 날처럼 환희로 가득 차있었다.

"실력...은 있...나 보...네요."

"실력만큼 안 좋은 소문도 퍼져있지. 그와 같이 일하고 그만두거나 망가진 사람들이 꽤나 있다 더라고.. 네 녀석 같이 말 더듬는 약한 사람은 잡아먹히지 않도록 조심해야해."

해리는 잔뜩 겁을 준게 즐거운 듯이 웃고 있었다.

어쩌면 그도 내색을 하지는 않지만 성공 가도를 달리는 눈앞의 감독에 만족의 웃음을 짓고 있는 것일지 몰랐다.

"한 명씩 나와서 대본을 받아 가도록"

연기 감독은 딱딱하게 말하였고 연차가 많은 순으로 앞으로 나가기 시작했다.

새로운 감독은 직접 한 명 한 명에게 인사하며 대본을 나누어 주었는데 사람마다 두께가 달랐다.

줄의 마지막에 서자 앞에는 제임스와 해리가 서있었다.

"군인 흉내는 갈수록 심해지네."
"새로운 감독 옆에서 살아남으려는 거지."

앞의 두 명은 대본을 나눠주는 감독의 옆에서 눈을 부라리고 있는 연기 감독에 대해서 말하였다.
둘의 말처럼 자신이 극단원들을 잡고 있다는 강인한 모습을 보여주려는 듯했지만 아이러니하게도 옆에 있는 감독의 눈치를 보고 있는 것이 느껴졌다.
극단원들 손에 대본이 하나씩 들리는 데에는 오래 걸리지 않았다.

'불편한 사람이네.'

다른 사람들과 비교했을 때 꽤나 두꺼운 대본을 건네주는 그는 의미 모를 미소를 짓고 있었다.
겨우 2번째의 만남에도 불쾌하다는 느낌을 받는 사람은 처음이었다.
매력적인 미소와 잘생긴 얼굴과는 별개였다.

"또 만나네요."
"네..."
"감독님에게 제대로 말해."

어눌하게 나올 것을 알기에 말을 적게 한 것이 마음에 들지 않은 모양이었다.
아니면 마지막까지 최선을 다한다는 것을 감독에게 보여주고 싶었을지도 몰랐다.

"부감독님"

"네"

"말하고 있는데 끼어들지 마시죠."

부감독이라는 호칭에 잠시 기뻐했던 그는 이어진 한마디 말에 입을 다물었다.

둘의 관계와 위치가 한순간에 정해져버린 순간이었다.

"좋은 연기 부탁드립니다."

"네..."

얼른 자리를 피하고 싶은 심정이었다.

이제는 부감독이 되어버린 연기 감독과 왜인지 모르게 호감 섞인 말투를 건네는 감독의 존재는 불편함을 만들어냈다.

멀리서 본다면 등이 굽은 것처럼 한껏 바닥에 몸을 붙여서 옆으로 걸어갔다.

우스꽝스러운 모습이겠지만 오랜 시간 동안 경험한 자세였다.

연습실을 나가면서 감독이 부감독에게 어떤 말을 하는 것이 보였다.

"기다렸네요..."

밖에는 이미 흩어져서 자신들만의 시간을 보낼 거라고 생각한 극단원들이 있었다.

삼삼오오 모여서 떠들고 있었지만 무엇을 기다리는지 복도에 있었다.

"각본만 받고 일정은 따로 전달한다고 해서 기다리고 있어. 빨리 읽어보고 싶은데 말이야."

"1화에 나오니까 마음이 급한 거겠지."

제임스는 못 참겠다는 듯이 맨 앞장에 1이라고 적혀있던 자신의 각본을 열어서 탐독하기 시작했다.

그는 빼곡하게 적혀있는 내용을 순식간에 읽어 내려갔다.

'3화라는 뜻이구나.'

손에 들고 있는 각본 맨 앞장에는 크게 3이라고만 적혀있었다.

불친절하게도 드라마의 이름과 줄거리 혹은 등장인물들에 대한 간략한 설명도 적혀있지 않았다.

보안 때문인지는 알 수 없지만 처음부터 끝까지 대본을 읽어 볼 수밖에 없었다.

물론 평소에 대본을 끝까지 읽지 않고 자신의 부분만 보던 단원들도 이번에는 볼테지만 말이였다.

책장을 열어보려던 순간 부감독이 밖으로 나왔다.

"모두 모이도록"

사람들은 그의 큰 목소리에 나름 열과 오를 맞추었다.

손에 들고 있던 수첩에 적어놓은 내용을 읽기 시작했다.

"촬영 시작은 1주일 뒤에 할 예정입니다. 각자 나눠준 각본을 숙지하고 오면 됩니다."

"1주일?"

"조용. 촬영 장소는 극단에 만들거니 이쪽으로 오면 됩니다. 1화부터 촬영에 들어갈 거니 알고 있고..."

마지막 말을 하기 전에는 헛기침을 몇 번 하였다.

그것이 중대한 사항을 말하기 전에 하는 그의 버릇이라는 것을 알았기에 사람들은 입에서 나올 말에 집중하였다.

"배역에 맞지 않을 경우 곧바로 교체될 겁니다."

부감독은 그 말을 끝으로 연습장으로 다시 들어갔다.

사람들은 그가 없어지마자 삼삼오오 주변으로 흩어졌지만 입은 쉬지 않고 말들을 쏟아내고 있었다.

"미쳤군. 우리를 물 먹이려는 심산이야."

해리는 들고 있던 자신의 상체만 한 각본을 옆에다가 던지면서 말하였다.

날카로운 말투처럼 얼굴은 화가나 있었고 당장이라도 뛰어 들어가 소리라도 지를 듯해 보였다.

"왜 그렇게 부정적이야."

"지금 하는 모습을 봐. 우리를 어떻게든 자르고 싶어서 하는 거야."

확실히 1주일의 시간이 주어지고는 못할 경우 자르겠다는 것은 해리의 말에 일리가 있게 느껴졌다.

아무리 작은 무대여도 적어도 연습 기간이 3주는 걸렸으니 말이었다.

그렇다고 눈앞의 각본의 양이 그만큼 작아 보이지도 않았다.

"감독님도 생각이 있으시겠지. 이번에만 잘되면 계속 작품을 같이 할 수 있을지도 몰라."

"우리 중에 제일 발등에 불 떨어진 사람이 제정신이 아니었네. 추종자가 여기에도 한 명 있었어."

몇 마디 말을 조금 더 했지만 약속이라도 한 듯이 흩어졌다.

각본에서 눈을 떼지 못하면서 걸어가는 제임스

대화를 하면서도 들고 있는 각본을 조금이라도 보고 싶어 하는 모습 때문이었다.

극단에서 괴롭힘당하고 인정도 못 받지만 마음 편한 공간은 있었다.

청소도구들과 언제 사용되었는지 모를 소품들이 쌓여있는 창고

그곳은 극단원들이 자신들만의 연습 시간을 위해서 극단의 모든 공간을 사용함에도 아무도 오지 않는 곳이었다.

각본을 들고 자연스럽게 앉아 들여다보기에는 충분한 그리고 이제는 연기 연습을 준비할 곳이였다.

"가짜는 살아있을 자격이 없다."

대사를 말하며 테이블에 놓여 있던 언제 쓰였는지 모르는 연극용 칼을 잡았다.

녹이 슬고 이가 빠져있었지만 지금 무대 위에서 쓰는 가짜 칼과는 손에 들리는 무게감부터 달랐다.

이전에는 이렇게 진짜 칼을 사용했던 것과 달리 지금은 가벼운

가짜 칼을 사용한다는 것이었다.

각본은 벌써 절반을 넘게 읽어 많은 시간이 흐른 뒤라는 것을 알 수 있었다.

"조금 더 짧은 것이 좋겠는데."

손에 들고 있는 연극용 칼은 각본에 나온 것과 비슷했지만 연습을 하기에는 어려웠다.

옛 기사들이 썼을 거 같은 길이는 아니었지만 한 손으로 들기에 묵직한 무게감은 각본을 절반이나 연습했음에도 불편함만 가져왔다.

소품들 사이에 아무렇게나 던져두고는 밖으로 나왔다.

이미 밖은 어두워진 뒤였다.

투둑 툭

"재수 없게 비가 오네."

어둑해진 하늘에서는 빗방울이 떨어지기 시작했다.

그렇다고 해서 평소처럼 자전거를 타지 않고 우산을 쓴다거나 버스를 탈 수도 없는 일이었다.

빗속을 뚫으며 자전거를 타고 달려갔다.

끼이익

다행히 집에 샌디는 없었다.

어두컴컴한 집안에서 희미하게 보이는 윤곽들을 피해 거실로 들어갔다.

거실 한편에 놓인 책장에는 샌디가 보는 이해하기 어려운 수많은 의학 서적들과 극단에서 받거나 몰래 가져온 각본들이 가득 차있었다.

밑 칸 책들을 살짝 빼내고는 뒤쪽 공간에 지킬 앤 하이드 각본을 넣었다.

'꽉 찼네.'

비밀공간은 애초에 공간이 많이 없어서인지 몇 가지 물건과 두툼한 각본을 넣은 것으로 가득 차버렸다.

각본을 넣고 책을 원래대로 해놓았을 때 샌디의 목소리가 들려왔다.

"집에 있나요?"

"네..."

자전거를 타고 오면서 연습한 연기 그대로였다.

일부러 말을 어눌하게 만들었지만 그렇다고 해도 예민한 샌디는 금방 변화를 알아차릴지 몰랐다.

최소한 촬영이 끝날 때까지는 들키지 않도록 해야 했다.

이제는 아이러니하게 '나'라는 사람까지도 연기해야 했다.

"불도 안 켜고 뭐 하고 있어요?"

"방금... 와서요..."

"저녁 사 왔으니까 씻고 와요."

들킬까 봐 대답도 하지 못하고는 화장실로 들어갔다.

문을 닫고 나서야 마음을 놓을 수 있었다.

누군가를 속인다는 것,

그것도 대상이 샌디라는 것은 끔찍한 일이었다.

특히 무대 위에서 관중들을 위한 연기가 아닌 현실이니 말이었다.

'말을 적게 하자.'

말을 어눌하게 하는 것이 오히려 들키기 쉬워 보였다.

한 번도 연극의 등장인물을 연기한다는 것에 어려움이 없었건만 현실은 다른 의미였다.

글에서 읽히는 배역의 성격이나 캐릭터성을 정작 떠올릴 수 없었다.

"직장 근처에 새로 생겼는데 맛이 괜찮아요."

"맛있네요…"

오늘따라 샌디는 유난히 말이 많았다.

질문과 대답만으로 대화를 이어가는 것도 한계가 있다는 것을 알게 되면서 지금 시간을 벗어나기만을 바랄 뿐이었다.

"연극은 새로 시작하나요?"

"네..."

"이번에도 아무런 역할을 맡지 못한 건가요?"

"그렇게... 되었어요..."

더 이상 질문은 없었다.

샌디는 이번에도 배역을 받지 못했다고 생각하는 거 같았다.

그래서 평소보다 어눌한 말이 줄어든 것이 힘들어하고 있는 의미라고 생각하는 듯했다.

맛있다는 말을 두어 번 더하고 나서야 식사시간은 끝이 났다.
평소처럼 피곤한 샌디는 먼저 침실로 들어갔고 잠시나마 자유 시간이었다.

'연습할 시간이 없네.'

식기들을 물에 담가두고는 책장 뒤에 있는 각본을 꺼냈다.
침대에서 자고 있을 아내 몰래 움직이다 보니 시간이 많이 걸렸다.
불을 켤 수 없어서 식탁 위에 촛불을 붙이고는 테이프로 감아야지만 사용 가능한 안경을 집어 들었다.
각본에 적혀있는 글을 한 줄씩 천천히 읽어 내려갔다.

"오로지 즐거움을 위해서지 이유 따위는 없다. 이제 되돌릴 방법 따위는 없어."

입모양만 벙긋거리고 두 손만 사용하면서 연습해나갔다.
앉아서 소리도 못내는 불편함은 고도의 집중력 속에서 사라져 갔고 어느새 낡은 트레일러 안에 촛불에 비친 그림자는 시시각각 다른 모양으로 변해가고 있었다.
각본 속에 나와있는 인물이 세상 밖으로 나오고 있었다.

탁

"뭐 하고 있어요?"
"잠이... 안 와서요..."
"그래도 내일 출근하려면 자야죠."

침대를 오래 비운 탓인지 샌디가 불을 켜고 나왔다.

침묵과 어둠 속에서 한껏 예민해진 감각들은 침대 위의 이불이 끄슬리는 소리마저 알게 해주었고 타이밍 좋게 각본을 책장 뒤의 공간에 숨길 수 있었다.

조금만 늦었어도 낌새를 알아챘을 터였다.

"배역을 받지 못해 상심해서 나와있나요?"

"그냥... 잠이... 안 와서요..."

"얼른 자요. 내일 출근해야죠."

그녀의 손에 이끌려 침대로 몸을 누였다.

오늘 연습은 끝이라는 생각과 함께 눈을 감았다.

눈은 감았지만 깊은 어둠 너머에서부터 각본 속에 담겨있던 장면들이 천천히 떠오르기 시작했다.

그것들은 천천히 수면 위로 올라와서 꿈이라는 이름 아래 수많은 것으로 변화할 것이다.

"허억"

아침 햇살이었다.

기억나지 않을 꿈 때문에 일어났다는 것을 알 수 있었다

다행히도 샌디는 이른 아침에 출근한 모양이었다.

아니었으면 악몽을 꾼 것에 대해서 물어봤을 테고 악역을 맡은 것을 알아챘을지도 몰랐다.

최근 그녀가 무엇 때문인지 정신없는 것이 다행이었다.

평소와 똑같은 출근길이지만 가방 속에는 책장 뒤편에서 꺼낸 각본이 들어있었다.

"배역을 맡아도 청소하러 나오는구나."

"그렇죠. 연습하러 왔나요?"

"월세가 그렇게 비싼데도 집주인이 시끄럽다고 어찌나 말하는지 짜증 나서 말이야."

극단 복도에서 마주쳤지만 눈은 각본에서 떨어지지 않는 제임스였다.

연습 기간 동안에는 대부분 극단에 나오지 않았지만 항상 나오는 멤버들도 있었다.

제임스도 그중 한 명이었는데 어디에 사는지 알려주지 않았지만 이유는 매번 똑같았다.

"준비는 잘 돼가나요?"

"열심히 하고 있지. 너도 각본을 읽었구나."

손에 들고 있는 각본에서 눈을 떼고는 바라보았다.

말 더듬는 게 사라진 모습에서 각본을 봤다는 것을 알아차렸을 거였다.

"연습해야죠."

"악역이라고 했나?"

"네"

말을 할지 말지 고민하는 듯한 표정을 짓는 그였다.

각본을 봤다는 것과 맡은 배역이 악역이라는 것의 의미를 알고 있는 몇 안 되는 사람이었다.

"깊게 생각하지 마."
"그래야죠."

그의 말에 걱정하지 않도록 웃으면서 답했지만 이미 머릿속은 각본 안에 있었다.
악몽까지 꾸게 될 정도로 말이었다.

"해리는요?"
"모르겠어. 어딘가에서 연습할지 모르지."
"아니면 술이라도 진탕 마시고 쓰러져 있을지도요."

제임스는 곧장 자신의 연습실로 가버렸다.
연습실이라고 해봤자 무대 2층으로 올라가는 계단 밑의 공간이었지만 밖으로 연결된 자그마한 창이 있다는 것만으로도 꽤나 좋은 장소였다.
많은 사람들이 원했지만 뺏기지 않고 지금까지 가지고 있다는 것이 제임스의 자랑이었다.

분명 중요한 배역을 받았지만 극단 내에서 달라질 것은 없었다.
아침 일찍 출근해서 쓰지 않는 극단을 청소했고 마지막 청소 장소인 무대에서 연습을 하였다.

"거짓된 삶에 갇혀 있는 고통 속에서 해방해 줄게."

무대 위에서 대사를 읊조렸다.

한 손에는 아직 외우지 못한 각본이 다른 한 손에는 방금까지 청소를 위해서 사용한 빗자루가 들려 있었다.

감정 때문인지 모르겠지만 두 손 모두 덜덜 떨리고 있었다.

시간은 생각보다 빠르게 흘러갔다.

제대로 연습을 하지도 못한 거 같았건만 1주일이라는 시간이 지나갔고 1화 촬영이 시작될 거였다.

극단 안에 세트장을 만드는 덕분에 쓸데없는 일이라는 이야기를 듣던 청소도 할 필요가 없어졌다.

그것은 무대 위에 올라가는 즐거움마저 앗아갔다.

"요즘에는 아침에 여유가 있는 거 같네요?"

"아직... 준비 기간이라서요..."

극단에서 청소하지 않는 것 덕분인지 여유로워진 아침 분위기를 샌디가 알아챘지만 그 정도였다.

그녀는 마트에 일이 많다고 하면서 최근에 더욱 정신이 없어 보였으니 말이었다.

청소를 안 한다고 해서 극단에 출근하지 않는 것은 아니었다.

"대단하네."

깔끔했지만 연식이 있던 극단이었다.

외부는 그대로일지언정 내부는 전혀 예상치 못한 장소들로 바뀌어 있었다.

그것이 불과 며칠 걸리지 않았다는 게 놀라울 뿐이었다.

"오늘도 출근했구나."

"촬영 대기 하나 봐요."

극단에서 맞이해준 것은 제임스였다.

다만 평소와 달리 메이크업과 화려한 옷을 갖추고 못 보던 의족도 착용하고 있었다.

평소에 눈에 안 띄게 긴 바지에 가려져있던 어두운색의 의족과 달리 화려한 붉은색을 띠고 있었다.

"그래. 생각보다 오래 기다리네."

"모습은..."

"괜찮아 보여?"

"안 어울리네요."

그는 대답에 살짝 웃음을 지었다.

씁쓸한 웃음 속에는 대답에 동의한다는 의미가 담겨있었다.

입고 있는 옷들이 불편한지 연신 손으로 잡았다가 뗐다가 하고 있었으니 말이었다.

가장 불편할 새로운 의족은 차마 건들지도 못하는 거 같았다.

"조금 앉아있다가 가."

그 말에 제임스가 앉아있는 탁자 앞좌석에 걸터앉았다.

드라마 촬영이 어떤지는 모르지만 이렇지는 않을 거였다.

배우들에게 주어진 시간도 짧았지만 그것은 다른 사람들에게 마찬가지였는지 촬영이 시작되었어도 정신없이 뛰어다니고 있었다.

"바쁘네요."

"어제까지만 해도 부담감에 미쳐버리는 줄 알았는데 이곳에 앉아있으니 차라리 나은 거 같다니까."

"괜찮아요?"

"너의 앞가림이나 잘해."

제임스는 호탕하게 웃었지만 그의 속마음을 대충은 알 수 있었다.

의족을 차고 다니던 것에 대해서 부끄러워하는 모습을 보인 적은 없었지만 알게 모르게 모두 짐작하고 있었다.

그가 항상 자신의 의족을 숨겼다는 것을 말이었다.

수십 명의 목숨을 앗아간 기록적인 더위 속에서도 그는 항상 긴 바지를 입었고, 자리에 앉으면 불편해 보이는 자세를 취하면서까지 멀쩡한 다리를 위로 올려 의족을 감췄다.

그런 사람이 자랑스러운 듯이 화려한 색의 의족을 끼고 무대에 선다는 것이 괜찮을 리 없었다.

"제임스 씨 준비하세요."

"가봐야겠다."

"잘해봐요."

애당초 급조해서 만들어서인지 잘 맞지 않는 듯 절뚝거리면서 걸어가는 그의 모습은 주연을 맡아서 기뻐하던 것과는 사뭇 대조되었다.

기대했던 이상과 현실은 달랐다.

밖으로 나왔을 때에는 며칠째 그랬던 것처럼 날씨가 흐려져 있었다.

당장이라도 빗방울이 떨어질 거 같은 검은 구름들로 인하여 햇빛은 없어진지 오래였다.

그런 분위기 때문인지 정신없이 거리를 누비던 넥타이들도 보이지 않았다.

출근을 하면서 보는 사람들은 어찌 된 영문인지 넥타이만 움직이는 것처럼 보였다.

"비가 오면 안 될 텐데."

자전거에 몸을 올리고는 페달을 밟았다.

뚫린 길 때문에 빠른 속도로 갔지만 비를 피할 수는 없어 보였다.

도시를 벗어나는 다리에 접어들었을 때 빗방울이 조금씩 떨어지기 시작했고 우려한 것처럼 비를 피하기 위해서 다리 밑으로 들어갈 수밖에 없었다.

"금방 멈출 거 같은데."

비구름이 몰려오는 방향의 하늘을 보며 말하였다.

멀리 비구름의 끝이 보이고 있었고 틈새로 햇살이 보이고 있었으니 말이었다.

소나기가 내리고 있는 이곳도 얼마 안 가 비가 멈출 거였다.
다리 밑에서 비가 그치기를 기다리기로 결정했다.

'사람이라도 사는 건가.'

매일 자전거로 지나가는 다리였지만 밑에 내려온 것은 처음이었다.
낚시꾼들이나 비행청소년들이 간혹 올 거 같은 장소에는 사람의 흔적이 가득했다.
어디서 주웠는지 모를 물건들부터 시작해서 한쪽에는 낡은 텐트들을 덧대어 그럴싸한 집까지 만들어져 있었다.

"누구냐."

궁금해하던 찰나 텐트의 안에서 목소리가 들려왔다.
몇 살인지 짐작도 안되는 낮고 잔뜩 쉬어버린 목소리
답을 하기도 전에 텐트의 문이 열리더니 수염이 덥수룩한 덩치 좋은 남자가 튀어나왔다.

"비를 피하..."
"죽기 싫으면 꺼져."

정신을 차렸을 때에는 자전거를 타고 폭우 속을 미친 듯이 달리고 있었다.
텐트에서 나온 것은 사람이었지만 그의 손에 들려있던 것은 녹슨 칼이었다.
무엇을 자른 것인지 모르지만 붉은색이 묻어있는 그것을 보자마자 옷이 젖는다는 것도 생각지 못하고 정신없이 자전거를 타고 집으로 도망쳤다.

꽈당

“하아.. 하아...”

집에 도착하자마자 자전거를 던져두고는 쓰러지듯이 바닥에 누웠다.

심장은 터질 것처럼 뛰고 있었고 그것에 맞춰 팔다리도 미세하게 떨리고 있었다.

“그건 피였겠지.”

손바닥만 한 나이프에 있었던 붉은색

그것은 피가 굳어버린 모습이었을 거였다.

어떤 누군가일지, 동물의 것일지는 모르지만 불길한 그것의 뾰족한 부분이 가리키는 대상이 된 순간 머릿속이 하얗게 변하면서 도망치라는 선택지만이 남았었다.

“제기랄”

오다가 몇 번이나 넘어진 것 때문인지 온몸에 흙이 묻어있었다.

그것보다도 오랜 시간 동안 제 역할을 해주던 자전거가 망가져있었다.

집까지 어떻게 타고 온 것인지도 모르게 기어는 나가 있었고 몇 번이나 넘어진 충격으로 인하여 바퀴도 찌그러져 있었다.

“돈도 없는데 거지 같네.”

더러워진 옷을 밟으면서 샤워를 하였다
몸에 있던 흙들과 옷에 묻어있던 흙들이 씻겨 내려갔다.
샤워를 끝마치기도 전에 밖에서 샌디의 목소리가 들려왔다.

"밖에 자전거는 어떻게 된 거예요?"
"넘어... 졌어요..."
"다친 곳은 없어요?"
"네..."

샌디는 더이상 묻지 않고 주방으로 향했다.
빠르게 샤워를 마치고 나왔을 때에는 식탁에 앉아 샌드위치를 먹고 있는 그녀를 볼 수 있었다.

"어쩌다가 그런 거예요?"
"비가... 와서... 급하게.. 타다 보니..."
"그래도 그렇지. 자전거까지 망가질 정도면 안 다친 게 다행이네요."
"네..."

식탁에 앉아서 샌드위치를 먹는 동안 어떤 말을 해야 할지 고민이 되었다.
대본이 없는 연기라는 것이 연기일 수 있을까 생각하면서 말이었다.
그녀도 별말이 없었지만 무언가를 고민하고 있었다.
고민할 때마다 하던 입술을 깨무는 버릇으로 알 수 있었다.

"자전거는 수리해야겠죠?"

"네.."

"그래요. 새거를 사주고 싶지만.. 미안해요"

"괜찮아요..."

그녀가 잠들기만을 기다렸다.

오늘따라 긴 시간 동안 식탁에 앉아 책을 본 그녀는 한참이 지나서야 침실로 들어갔다.

그동안 재미없는 라디오를 켜놓고는 머릿속으로 각본의 대사들을 생각하고 있었다.

'각본이 더러워지지는 않았겠지.'

잠든 것을 숨소리로 확인하자마자 가방으로 뛰어갔다.

역시나 비에 잔뜩 젖은 상태에 안의 내용물들은 멀쩡하지 않아 보였다.

'제기랄'

하루 동안 몇 번이나 나온 말이었다.

평소라면 속으로도 하지 않을 말들이었는데 각본의 영향 때문에 어떤 변화가 있는 것이 분명했다.

가방에서 조심히 꺼내들자 흠뻑 먹은 물이 뚝뚝 떨어졌다.

한 번 더 마음속으로 욕지거리를 하고는 물먹은 각본을 말리기 시작했다

그렇게 밤새도록 말리고 나서야 잠들 수 있었다.

아침 일찍 움직였다.

밤새 말린 각본을 가방에 넣고는 망가져버린 자전거를 끌고서 말이었다.

샌디가 자동차로 태워주겠다는 것을 자전거 수리를 핑계로 거절하였다.

되도록이면 그녀와 거리를 두는 것이 현명했다.

출근하는 사람들이 타고 있는 자동차들이 다리 위를 지나가고 있었다.

"저기 있네."

다리 위 인도에서 밑이 보였다.

비를 피하기 위해 서있었던 그 자리에는 어제와 다르게 텐트도 활짝 열려있었다.

어제 봤던 칼을 들고 있던 남자도 있었는데 잘 보이지 않아 무엇을 하는지는 알 수 없었다.

그는 제대로 된 집도 갈 곳도 없는 부랑자가 틀림없었다.

드드득

다리를 건너면서 끌고 있는 자전거에서 거슬리는 소리가 났는데 아침에 확인해 보니 찌그러진 것 때문에 브레이크가 바퀴를 누르고 있었다.

'짜증나네.'

다리 위를 걸어 부랑자의 머리 위까지 움직였을 때 멈춰 섰다.

이제는 다리 밑에 있는 그를 위에서 내려다보고 있는 상황

주변을 둘러보자 떨어트릴 물건은 넘쳐났다.

어디서나 볼 수 있는 돌멩이부터 쇳조각들 그리고 왜 있는지 모를 깨진 볼링공까지 말이었다.

거리 위의 물건들을 연속해서 던진다면 맞출 수도 있을지 몰랐다.

"헛짓거리야."

잠시 생각하고 나온 말이었다.

운이 좋아 맞출 수도 있겠지만 강한 바람이 불고 있는 다리에서 그런 우연을 기대하기는 어려웠다.

그리고 다리 위를 지나가는 자동차 속의 사람들은 부서진 자전거를 끌고 다리 위에 서있는 볼품없는 남자를 감시의 눈길로 보고 있을 거였다.

"애초에 그가 칼로 위협을 했던 것도 아니었고."

그저 겁이 나서 도망간 것뿐이었다.

위협을 가한 것이 아니라고 생각하면서 자전거를 끌고 극단에 도착했다.

"안 할 거라고 안 해!"

극단 문을 열자마자 안은 시끄러웠다.

누군가가 더 이상 못하겠다고 소리 지르는 것을 말리고 있었는데 목소리를 듣는 순간 놀랄 수밖에 없었다.

제임스의 목소리였다.

어떠한 사정 때문인지 몰라도 배역을 받고 가장 좋아한 그가 지금은 안 하겠다고 말하고 있었다.

"다들 비켜 집에 갈 거라고."

"아무리 그래도 이러는 게 말이 돼? 촬영도 이미 반은 끝냈는데 말이야."

안쪽으로 들어가자 부감독에게서 등을 돌리고는 짐을 챙기는 제임스와 그런 그를 설득하려고 애를 먹고 있는 모습이 보였다.

주변 사람들은 이러지도 저러지도 못하고 쳐다만 보고 있었다.

"어떻게 된거에요?"

"제임스가 갑자기... 저래."

옆에 있던 극단원에게 물어봐도 자세한 대답은 없었다.

다만 대답을 하면서 눈빛이 감독을 향해 있는 것을 보았을 때 그것이 제대로 말 못할 이유라는 것을 알 수 있었다.

"그냥 가라고 해요. 대체할 사람은 많으니까."

"감독님. 그래도 촬영을 절반이나 했는데요."

제임스를 설득하며 부감독이 한 번 더 말하였다.

나름대로 극단에서 가장 오래 있었던 둘이었기에 말해본 것이겠지만 자신의 무덤을 파는 것이라고는 생각지 못한 거 같았다.

그런 그를 주변 사람들이 걱정스럽게 보고 있었으니 말이었다.

"부감독님."

"네."

"입다물고 시키는 대로 하세요. 이렇게 감정적으로 행동하니 본인 밑에 있던 배우 한 명 컨트롤 못하는 겁니다."

감독의 말에 아무런 대꾸도 하지 못했다.

괜스레 입을 잘 못 놀려서 점수만 잃었다고 봐야 했다.

제임스는 짐을 챙기자마자 밖으로 도망치듯이 뛰쳐나갔다.

해리도 아니고 평소 점잖은 그가 잘못한 것이 있을 리 만무했겠지만 제대로 자신의 짐을 챙기지도 못하고 뛰쳐나가는 것은 무대에 남아 사람들에게 명령을 하는 감독의 모습과는 대조되었다.

"대기하고 있던 배우 오라고 해요."

"알겠습니다."

배우들을 대체할 수 있다는 말은 거짓이 아닌 모양이었다.

제임스가 나가고 곧바로 감독의 말에 새로운 배우를 불러오는 것을 보아하니 말이었다.

도망치듯 뛰쳐나간 제임스를 쫓아가려던 순간 감독과 눈이 마주쳤다.

예기치 못한 상황에서 감독은 눈이 마주친 대상에게 걸어왔다.

"구경하러 온 건가요?"

"네"

"못 볼 꼴을 보여줬군요."

"아닙니다."

그의 눈은 동그랗게 변해있었다.
호기심이 가득한 그의 눈은 입에 머물러 있었다.

"말을 더듬지 않는군요."
"네. 연기 준비 중에는 그렇습니다."
"신기하네요."

호기심 어린 눈은 그대로였지만 그는 자리를 뜰 수밖에 없었다.
주연 배우가 변경된 것에 대한 뒷수습을 해야 하니 말이었다.
미리 대기하고 있었던 것인지 제임스와 똑같은 복장을 한 남자에게 다가가 명령을 내리고 있었다.
다만 대체 배우의 발에는 의족 대신에 초록 테이프가 감겨 있었다.

"언제든지 대체될 수 있다는 말이 거짓이 아니었구나."

뒤늦게 제임스를 쫓아나갔지만 늦은 뒤였다.
그의 모습은 골목 어디에서도 볼 수 없었으니 말이었다.
며칠이 훌쩍 지나는 동안 제임스를 극단에서 볼 수 없었다.

"벌써 촬영할 때가 다 되었다니 시간 빨리 가네."
"2주일이 지난 거죠."
"오랜만에 봐도 말대답은 여전하구나."

연습 기간 동안 한 번도 극단에 방문하지 않은 해리였다.
자신이 2화의 주연이라는 것에 남몰래 기뻐했을지 모르지만 극단에서 연습을 하지는 않았다.

성격을 보았을 때 제대로 연습을 했는지도 의심이 들었다.

"그래서 제임스는 왜 그만둔 거야?"

"그건..."

제임스의 이야기를 이제야 전해 들은 해리였다.

다른 배우가 대신 촬영을 했고 촬영본은 곧바로 방송이 되었다.

드라마는 1화 만에 대박이 났고 제임스가 극단으로 다시 돌아올 수 없다는 것을 이제 모두가 알고 있었다.

그리고 그런 상황은 극단원 모두에게 해당될 수 있다는 것도 말이었다.

"문제가 있었죠."

"말 안 해도 감독하고 싸웠겠구먼."

"알고 있었네요?"

"짐작했지. 제임스는... 아니다 말해서 뭐하겠니. 이거나 받아."

해리는 1시간이나 늦게 들어오는 감독에게 살갑게 다가갔다.

극단에서 까칠한 해리와 부감독이 감독의 옆에서 비위를 맞추는 것을 보면서 이곳이 달라졌다는 것을 새삼 느꼈다.

"가봐야겠지."

손에는 해리가 건네준 쪽지가 들려있었다.

그 속에는 극단을 뛰쳐나갔을 때 잡지 못했던 제임스의 주소가 담겨있었다.

사람들에게 물어봤지만 아는 사람이 없어서 이렇게 늦게나마 해리를 통해서 얻어낸 것이였다.
쪽지에 적힌 주소는 처음 보는 곳이었다.
간신히 고칠 수 있었던 자전거에 올라서 한참을 타고 갔다.

"주소가 맞는 건가."

집과는 정반대 방향으로 도시를 벗어나고 있었다.
그나마 도시를 벗어나기는 했지만 근교에서 멈춰 설 수 있었다.
주소가 가리키는 곳은 얼마나 오래전에 만들어졌을지 모를 아파트 건물의 앞이었는데 낡은 것에 비해서 많은 사람들이 들어갔다 나가고 있었다.

"참 많이도 쳐다보네."

아닌 척하지만 건물 앞에 멈춰 선 순간 몇몇의 시선도 멈췄다.
품에 있을 자그마한 칼을 만져보고는 자전거를 끌고 안으로 들어갔다.
낡은 외관만큼 더러운 복도.
그리고 그곳을 채우고 있는 지저분한 사람들

"어떻게 왔지?"

반겨주는 건 덩치 좋은 남자였다.
입에 이름 모를 풀을 씹고 있는 그는 껄렁한 말투와 자세를 취하고 있었다.
품속에 칼을 매만지는 대신 양손을 들면서 입으로 해결했다.

"아는 사람을 보러 왔는데요."

"누구?"

"제임스"

덩치 큰 남자는 제임스를 몇 번 혼잣말로 되새겼지만 알지 못하는 듯했다

괜히 오해를 사지 않게 양손을 내보인 것이 다행이었다.

혼잣말처럼 알고 있냐는 말에 뒤쪽에서 모른다는 2명의 남자 목소리가 들려왔으니 말이었다.

눈앞의 남자는 평범하지 않다는 것을 보여주듯이 건들거리는 것처럼 행동하면서도 한순간도 시선을 떼지 않고 있었다.

"모른다는데. 이곳은 거주자들 외에는 들어갈 수 없어서 말이야."

"극단에 다니고 한쪽 발이 의족입니다."

"의족을 찬 사람이라면 알고 있지만 제임스라는 이름은 아닌데…"

그것에 대한 대답은 뒤에 있는 남자가 대신해 주었다.

이곳에 사는 사람들 중에서 밖에서 제대로 이름을 말하는 녀석이 있겠냐는 말에 납득하는 듯했다.

안으로 들어갈 거냐는 말에 고개를 끄덕이자 자연스럽게 몸수색을 시작했다.

'칼이 들킬 거 같은데.'

안 들킬 수가 없는 위치에 있었다.

방금 전에 느꼈지만 허투루 하는 사람이 아니었다.

몸의 바깥쪽부터 훑고 지나가던 순간 칼에서 손은 멈춰 섰다.

'도망가야 하나.'

잘못한 일은 없다지만 이곳에서는 사소한 이유도 죽을만한 일이 될 수 있었다.

더러운 복도는 한 명 정도는 죽여서 눕혀놔도 오래도록 찾지 못해 보였다.

시체처럼 쓰러져 있는 사람들 중에 정말 시체가 있을지도 모를 일이었다.

"칼이군."

그가 품에서 꺼냈다.

칼을 사는 것조차 두려웠기에 다리 밑에서 부랑자를 만나고 품에 넣고 다닌 것은 기껏해야 볼펜 정도의 접이식 칼이었다

스스로 들고 다니면서도 누군가를 해할 수 있다기보다는 마음의 안정을 찾는 것이 전부였다.

"이 정도는 돼야 하지 않을까"

그는 칼을 몇 번 튕겨보더니 품에서 족히 30센티는 넘어 보이는 것을 꺼냈다.

얼마나 닦았는지 형광등 불빛을 반사하는 그것은 반대쪽 손에 들린 작은 것과 더욱 비교되고 있었다.

"그런 거 꺼내면 무서워서 얼어버린다고."

"그런가."

칼을 돌려주며 안으로 들어가라고 말했다.

애초에 이곳 분위기상 작은 칼 한 자루 들고 다니는 것에 대해서 의심하거나 이상하게 생각할리 없었다.

입구는 양호한 정도였다.

이전에 봤던 호러 영화에서의 정신병원처럼 복도에는 수많은 물건들이 늘어져 있고 무엇인지 모를 것들이 벽에 묻혀 있었다.

“꼬마야. 새로 이사 온 거냐?”

“조그마한 녀석이 들어왔네.”

복도에서 마주치는 사람들 모두 맨정신은 아니었다.

속된 말로 약에 절어 당장 죽어도 이상하지 않을 사람들

이런 곳에 항상 깔끔한 모습을 보이던 제임스가 있을 거라고 생각되지 않았다.

505호

아까 의족과 관련해서 알고 있는 남자가 알려준 객실 번호였다.

문 앞에 멈춰 서서 들어갈지 말지 고민을 했다.

평소의 제임스의 이야기와는 다른 그의 현실을 누군가가 알아채는 것이 부끄러운 일이지 몰랐다.

그렇지만 이런 고민은 생각지도 못한 일에 의해서 해결되었다.

"여기는 어쩐 일이야?"

문안에 있을 거라 생각했던 제임스가 걸어들어온 복도에 서서 말하였다.

손에 무엇인가 들고 있는 그는 살짝 놀란 표정을 하였지만 금방 침착한 표정을 짓고 있었다.

"걱정되어서요."

"너에게 걱정거리가 되다니 나도 이제 끝났구만"

"그게 아니라..."

"들어가자. 보는 사람이 많아."

그의 말대로였다.

이런 곳에 손님이 온다는 것이 신기해서인지 복도 끝에 1명 그리고 옆 옆집의 누군가가 살짝 문을 열고는 쳐다보고 있었다.

보는 사람은 이 정도였고 듣고 있는 사람은 더 있을지도 몰랐다.

딸깍

현관문이 닫히기도 전에 느껴지는 기분 좋은 향기

바깥과는 달리 안은 제임스의 평소 모습과 같이 깨끗했다.

무채색의 공간

안에는 검은색, 흰색, 회색만이 가득했다.

그렇지만 더러웠던 바깥의 복도에도 햇살이 들어왔다면 이곳은 깨끗한 것과 달리 어두컴컴한 분위기를 풍기고 있었다.

깨끗한 그곳에서 오직 거실 한 곳만이 술병들로 가득했다.

"놀랐지?"

"조금요."

제임스는 들고 있던 것들을 옆으로 내려놓았다.

보이기 싫은 것인지 사각지대 쪽에 놓았지만 부피가 커서인지 일부를 볼 수 있었다.

비닐 속으로 보이는 것은 형광색의 무언가였다.

"하나 마셔."

건네준 것은 일회용 주스였다.

진짜 과일이 들어간 것인지 글자로만 확인할 수 있지만 척박한 삶에서 맛으로는 분간할 길이 없었다.

"이런 곳에서 사는 걸 보고 놀랐겠네."

사실이었으니까 쉽게 대답하지 못했다.

교수님처럼 항상 깔끔하게 입고 다니던 모습과 쓰레기장 같은 이곳의 이미지 차이는 그만큼 컸으니까.

"도시 안에서 살지 않았나요?"

직접 가보지는 않았지만 극단원들 중에서는 제임스의 집에 가본 사람들이 있었다.

그리고 그들은 제임스와 어울리는 깔끔한 도시의 집에 대해서 이야기했었다.

"그랬었지. 이곳까지 밀려나는 데 오래 걸리지 않았지만 말이야."

"이사 온 거군요?"
"밀려난 거지."

씁쓸한 미소를 지으면서 다 마셔버린 주스 갑을 구겨서 아무렇게나 던져버렸다.

잘 정리되어 있는 곳이었지만 구겨져버린 주스 갑은 금세 자기 자리인 것마냥 자연스럽게 보였다.

"그래도 저희 중에서 제일 많이 벌잖아요."
"그래봐야 거기서 거기일 뿐이야. 다른 녀석들도 이런 시궁창으로 밀려난지 오래일걸."

말을 하면서 또 다른 주스 갑을 꺼내 마시기 시작했다.

똑같이 순식간에 다 비워버리고는 아무렇게나 던져버렸다.

"그나마 많이 벌기는 하겠지. 이런 말끔한 모습 때문에 부업을 했었으니 말이야."
"부업은..."
"금지지."

말을 끊고서 대답했다.

이전부터 말이 나왔던 이야기였다.

극단에 소속되어 있는 배우들은 부업이 금지였다.

극단원들은 그것이 불합리하고 자신들을 가난하게 만드는 주범이라고 하였지만 꿈을 찾아온 사람들에게 다른 것들은 충분히 포기할 만한 것이었다.

떠나버린 사람들은 극단원들이 꿈이라는 것에 스스로를 구속하며 학대하고 있는 것이라고 말하였다.

"당연히 말하지 않았지. 말할 수도 없는 거고"

그는 말 대신 손가락을 가리켰고 그 끝에는 생각지도 못한 것이 있었다

비닐에 담겨있는 흰색 가루.

관심 없는 사람도 이제는 흔하게 볼 수 있는 물건이었다.

다만 영화에서나 볼만한 양이 문제였다.

"배달한 거군요."

"그렇지. 깔끔한 옷과 외모, 극단에서 단련된 연기력 그리고 비루한 인생은 사람들의 의심을 줄여주지."

그는 손으로 자신의 의족을 두드렸다.

차가운 금속의 소리가 울려 퍼졌고 겉과 다른 제임스의 속마음을 말해주는 듯했다.

흰색 가루 옆에는 책 한 권이 놓여있었다.

무채색의 공간에서 두 번째로 보는 강렬한 색감이었다.

제임스가 받았을 대본집

그것의 겉면에는 이곳의 무채색과 다르게 눈에 띄는 색으로 되어있었다.

짧은 시간에 얼마나 봤던 것인지 외관은 많이 상해있었지만 내부는 그러지 않을 거였다.

"돌아와요."

어렵지 않게 꺼낸 말이었다.

다른 사람의 문제에 대한 해결법을 말하는 것은 언제나 어렵지 않은 일이었다.

"감독이 보낸 건가?"

그는 냉소적인 미소를 지으면서 말했다.

감독이 보낸 게 아니라면 가지 않을 거라는 듯한 태도였다.

뻔하게 들킬 일에 거짓말을 할 수는 없었다.

"아니요. 제가 왔어요."

"하아..."

작게 튀어나온 한숨

그것에는 다른 것보다도 아쉬움이 담겨있었다.

아쉬움의 의미가 감독이 보낸 것이 아니라는 것쯤은 알고 있었지만 그럴 일은 없을 거였다.

그것을 알고 있는 제임스는 이제는 남지 않은 주스팩을 찾다가 멈춰 섰다.

"의족을 차기 전까지는 자신감이 있었지. 그렇지만 한순간에 모든 것을 잃은 기분이었다. 지금처럼 말이야."

"다시 준비하면 되잖아요"

"난 이제 나이를 많이 먹었고 다시 준비하기에는 지쳤어."

한마디 한마디 말을 내뱉는 그의 모습에서 제임스라는 배역이 눈에 보였다.

이제까지 보지 못한 모습

다른 모습을 연기하는 사람은 이 방에 2명이 있었던 거였다.

"치열한 삶과 편안한 죽음. 비교하는 것이 말이 안된다고 생각하겠지만 과연 그럴까."

그 질문에는 대답할 수 없었다.

무엇을 이야기하든 질문이 이끄는 방향은 하나일 테니 말이었다.

"돌아갈 일 없으니까 다시는 찾아오지 마라."

"제임스..."

"두 번 말하게 하지 마."

단호한 말투였다.

그 앞에서 할 수 있는 것이라고는 없었다.

마음을 돌릴 수 있는 사람은 이곳에 오지 않을 테니 말이었다.

무채색의 공간에 그는 혼자 남기를 원했다.

"생각 정리하면 나와요."

"알겠어."

내쫓기듯이 밖으로 나왔다.

쾅 닫힌 문 앞에서 아무것도 하지 못한 것에 대해서 잠시 생각하다가 걸음을 옮겼다.

낡고 더러운 건물

그 속에서 꽤나 많은 것들이 쳐다보고 있었다.
자전거를 타고 다시 도시로 들어가는 길.
눈앞의 거대한 도시는 교외의 슬럼가보다도 어둡고 캄캄해 보였다.

"늦었네요."
"네... 제임스를... 만나고... 왔어요..."

집에는 샌디가 도착해있었다.
오랜만에 일찍 온 그녀는 손수 저녁을 만들고 있었다.
자리에 앉자마자 평소와는 다른 식탁의 음식들이 눈에 들어왔다.
매일 일상의 반복 그리고 그것을 체감시켜주는 똑같은 메뉴, 그런 루틴이 오늘 저녁 식사에는 깨져 있었다.

"어... 무슨 일... 있나요...?"
"좀 많이 차렸죠?"

나무라는 것이 아니라는 것을 몸짓으로 말해주었다.
말을 하면 변화를 눈치챌 수도 있기 때문에 이제는 바디 랭귀지가 편했다.

"음..."

샌디는 말을 하는 것을 주저했다.
한 번도 이런 적이 없었기 때문에 궁금하면서도 불안감이 엄습했다.

표정이나 분위기는 그럴리 없어 보이지만 언제든 그녀와의 관계에서 떠난다는 것이 후보지에 있었으니 말이었다.

어눌한 말을 하는 짐짝 같은 사람은 혹독한 세상에서 배우자에게까지 버려지기 십상이었다.

“직장에서 여행을 보내준다고 해서요.”

“여행?”

뜻밖의 말에 어눌한 말을 연기하는 것도 잊었지만 다행히도 말하는 것에 집중한 샌디는 알아차리지 못했다.

들켰을까봐 지은 당황한 표정을 그녀는 싫어하는 것으로 받아들였는지 다음 말을 하지 못했다.

“어디로... 얼마나요...?”

“3일 뒤에 출발해서 10일 정도 유럽으로 보내주겠다네요. 갔다 와도 되나요?”

그녀의 말에 붙어있는 달력을 쳐다보았다.

돌아오는 날짜를 살펴보았을 때에는 오히려 만족스러웠다.

촬영이 마무리될 거라고 생각되는 날짜였다.

들킬까봐 걱정하는 연기 따위는 할 필요가 없는 거였다.

그녀가 즐겁게 여행을 다녀와서 휘파람 한번 불어주면 모든 문제를 해결할 수 있을 거였다.

“누구랑... 가죠...?”

“직장동료 엠마랑요.“

"가고 ...싶은 거죠...?"

마냥 좋아하는 내색을 할 수는 없었다.

사람들을 주목하게 만드는 것이 연기의 시작이며 끌고 가는 것은 연기력의 문제였고 마지막까지 관객들에게 만족감을 주는 것은 집중력이었다.

"네···."

"그래요... 다녀와요..."

샌디는 다녀와도 좋다는 말에 환하게 웃음을 지었다.

최근 지쳐 보이는 그녀였기에 지금의 웃음은 귀하게 느껴졌다.

보통 저녁을 먹고 바로 잠드는 평소와는 달리 그녀는 설레는 마음으로 짐을 싼다고 늦게 잠이 들었다.

시간은 빠르게 흘러갔다.

여행 이야기를 꺼낸 지 며칠 만에 샌디가 떠났기 때문이었다.

모든 것이 제공된다는 점에 공항까지 배웅할 기회도 없었다.

"이제 여기서 사는 거 같네."

"연습하기 제일 좋으니까요."

극단에서 매일 해리를 만났다.

드라마의 촬영 준비를 마친 상태였는데 제임스처럼 입지 않을 것 같은 옷들을 매일매일 입어 보이는 그였다.

화려한 색의 옷들은 항상 칙칙한 색만 입던 것과는 대조되었다.

“제임스는 만나봤어?”
“네. 잠깐이요.”
“안 돌아온다지?”
“그렇죠.”

해리는 제임스에 대해서 더 이상 묻지 않았다.
둘이 어떻게 만났는지는 모르지만 훨씬 오래전부터 알고 있던 사이였고 누구보다 서로를 알고 있었으니 말이었다.

“준비는 잘되어가요?”
“뭐... 이상하지.”

자신이 입고 있는 옷을 가리키는 손짓에 한번 쳐다보았다.
텔레비전에서나 보던 우스꽝스러운 악당 같은 화려한 옷에 시선이 먼저 갔다.
그의 양팔을 내리면 소매가 땅에 닿을 듯 보였다.

“조금요. 안 입는 옷이다 보니까.”
“그렇긴 하지. 그래도...”

말을 끝마치지 못했다.
밖에까지 들려오는 감독의 고함소리에 불안한 듯 안으로 급히 들어갔기 때문이었다.
드라마가 한회만 방송했는데 성공은 분위기를 많이 바꿔놓았다.
모두에게 낯설고 멀게만 느껴지던 성공이라는 것이 가까이

다가와 있었고 성공과의 거리감이 가까워진 만큼 감독의 입김은 강해졌다.

"이제 정말 극단은 사라졌구나."

짧은 시간 동안 극단은 사라져갔다.

오랜 시간 연극에 사용하던 옷들과 장비들은 바닥을 굴러다니고 있었고 그중에는 극단원들이 서로 사용하겠다고 싸우던 것들도 함께였다.

무엇 때문에 그렇게 아웅다웅했는지 모를 정도였다.

"연습은 잘되어 가고 있겠지?"

"네"

"성공하고 싶으면 열심히 하라고"

부감독과의 대화였다.

어떻게 맞지 않는 사람과 잘 지내고 있는 모양이었다.

다만 그로 인한 짜증 때문인지 극단원들에 대한 강압적인 모습은 알게 모르게 커져갔다.

귀찮은 사람들을 피해서 연습장소로 돌아갔다.

이제는 아무도 신경 쓰지 않는 제임스의 연습장소였다.

"사람들이 기뻐하는 표정을 보면 일그러트리고 싶다니까"

어렵지 않게 모든 대사를 외웠고 천천히 젖어들 수 있었다.

연기를 연습하는 데에 어려움은 없었다.

알고 있었던 것처럼 배역에 대해 이해하게 되었으니 말이었다.

"얼마 남지 않았네."

촬영 시작일과 샌디가 돌아오는 날이었다.

연습하고부터 생긴 자그마한 두통은 얼마 지나지 않아 해결될 문제였다.

그녀가 돌아와서 모든 것을 해결해 줄거였다.

"제기랄. 못 해먹겠네."

잔뜩 화가 난 해리의 목소리였다

앞에서는 아무 말도 못 하는 그도 뒤에서는 얼마든지 짜증을 낼 수 있었다.

아무도 오지 않을 제임스의 공간을 찾는 사람은 이제 둘뿐이었다.

탈 것 천지인 이곳에서 금지하는 물건 중 하나인 담배도 한대 물려있었다.

"어떻게 된 거예요?"

"깜짝이야."

이곳에 아무도 없는 줄 알았을 거였다.

크게 놀란 표정의 그는 얼굴을 확인하고는 급하게 숨긴 담배를 다시 입에 물었다.

"인기척 좀 내고 다니라니까."

"문제가 생긴 건가요?"

"아니야. 하아... 너도 촬영해 보면 알겠지만 제임스가 왜 뛰쳐 나갔는지 알 수 있을 거야."

담배연기는 잊지 말고 창문 밖으로 뿜고 있었다.

연기는 창문을 통해서 밖으로 나갔고 얼마 안 가 어디로 가는지 모르게 사라졌다.

어쩌면 눈앞의 담배 연기만큼은 도시에 스며들 듯이 적응하는 건지도 몰랐다.

"연기가 어렵나요?"

"나이를 먹을수록 어려워져."

"그래도 베테랑이잖아요."

"퍽이나"

해리도 제임스처럼 할 말이 많은 얼굴이었다.

그렇지만 둘의 공통점은 남에게 말하지 못한다는 것이었다.

한 명은 그 덕분에 이곳을 떠나게 되었다.

"어떤 게 어려운데요."

"밑바닥 인생은 오래 있으면 숙성이 되어서 좋은 포도주가 되는 것이 아니야. 그저 누군가가 입을 헹구고 뱉어버리는 탁주 같이 되어버리지. 문제는 사람도 연기도 마찬가지라는 점이야."

담배를 한 번 길게 빨아들이고는 내뱉었다.

그답지 않게 말을 꺼내면서 힘겨워하는 듯 보였다.

"사람들의 반응에 민감해지면서 나를 잃어버린 것일지도 모르고."

"해리답지 않게 진지하네요."

"제임스처럼 나도 마지막이니까 말이야."

극단원들 중에서 비슷한 사람들은 많을 거였다.

이곳을 집처럼 평생을 살아왔고 이곳에서 죽음을 맞이할 거라고 생각했을 거였다.

낡았지만 안정감을 주는 극단은 집이자 안식처였다.

영원할 것만 같던 것이 끝을 향해 달려가고 있었다.

"이 기회에 자신을 찾아봐도 좋죠. 마지막 기회니까 잃어버린 것들을 되살려보면서요."

"그럴 수 있을지 모르겠네."

해리가 어떤 방법을 생각했는지 모르지만 한결 얼굴은 편안해 보였다.

불과 며칠 전 만났던 제임스의 마지막 얼굴과는 다른 느낌이었다.

담배를 한대 더 꺼내 물려던 그는 케이스에 넣고는 작게 고개만 끄덕이고는 안으로 들어갔다.

"잘해내겠지."

그는 잘해낼 거였지만 가장 큰 문제는 이 좁은 곳에서 연습을 해야 하는 사람이었다.

시간을 빠르게 갔고 금방 촬영이 시작할 거 같았다.

원래 일정은 2화 촬영이 끝나고 곧바로 3화 촬영의 시작이었다.

사전에 계획된 것이었지만 생각지도 못한 일로 틀어져 버렸다.

'무슨 일이지.'

극단에 도착했을 때 게시판 앞은 모여있는 사람들로 가득했다.

2화 촬영이 끝이 나고 방송 날이기는 했지만 그렇다고 게시판에 모여있을 이유가 되지는 않았다.

거기에다가 사람들의 표정은 게시판에 붙어있는 내용이 좋은 것이 아니라는 것을 알려주고 있었다.

"무슨 일이죠?"

"제임스... 제임스가 죽었대."

극단원의 비명과도 같은 말과 함께 눈물이 흐르고 있었다.

게시판을 확인하자 간단한 a4 종이 1장이 붙어있었다.

누군가의 죽음을 알리는 내용을 담고 있다기에는 한 줄만이 덩그러니 적혀 있었다.

<극단원 제임스 사망-××××. ××. ××. 장례식>

누가 쓴 글인지는 몰라도 종이의 여백이 아까울 정도로 한 줄만 적혀있었다.

장난일지도 모르는 그것에 사람들은 울고 있었다.

성공의 기대에 정신이 팔려있었지만 이곳은 모두에게 안식처였고 제임스는 가족이었다.

"어떻게 죽은 건가요?"

"그걸 어찌 알겠어. 모두들 지금 본 건데."

사람들은 글을 누가 썼는지 찾고 있었지만 나오는 사람은 아무도 없었다.

다들 이곳에서 처음 봤다는 것이었고 개중에는 누군가의 짓궂은 장난이지 않냐고 이야기 하는 사람도 있었다.

극단에 이런 장난을 칠만한 사람은 없었다.

끼이익 탁

혼돈의 상황에서 문이 열리고 닫히는 소리에 눈이 모였다

그곳에는 상황을 설명해 줄 잔뜩 얼굴을 찌푸린 사람이 있었다.

"다들 봤나 보네. 제임스가 스스로 목숨을 끊었다더라고 성공이 눈앞에 있는데 짜증 나게 말이야."

"극단주님..."

평소에 한 번도 오지 않던 극단주와 그의 입에서 나온 말들에 자중하라는 의미로 이름을 부르는 부감독이었다.

그리고 생각지 못한 상황에 얼굴을 찌푸린 감독과 해리였다.

4명의 공통점은 누군가의 죽음에 얼굴을 찌푸리고 있다는 거였다.

"제임스 씨의 죽음은 다들 들으셨을 테고 밖으로 퍼뜨리고 다니지는 마십시오."

"어떻게 죽은 거죠?"

"굵은 밧줄을 썼다더군요."

감독이 직접 상황을 정리하고 있었다.

침착하게 말하는 그의 말에 사람들은 정신을 차려가고 있었다.

그의 입에서 앞으로 나올지 모르는 생생한 이야기에 누군가는 슬픔을 또는 안타까움을 가지고 있었다.

허리를 두드리는 손짓에 쳐다보자 해리가 있었다.

잔뜩 찌푸린 얼굴의 그는 밖으로 따라나오라고 손짓을 하고는 먼저 앞서 걸었다.

"무슨 일이죠?"

"제임스가 죽었다는 말 들었지?"

"방금 극단주가 이야기했잖아요."

"네가 제임스를 봤다는 날 죽었어."

제임스의 집에 간 그날

해리의 말로는 집 안에서 쓸쓸히 죽었다는 거였다.

"죽을 거라는거 알고 있었지?"

"왜 알고 있었다고 생각해요?"

"그 이후로 제임스의 이야기를 하지 않았으니까."

그것이 제임스의 죽음을 알고 있다는 의미가 되지는 않는다.

눈앞의 해리는 절친한 친구의 죽음에 대한 슬픔을 이렇게 풀고 있는 것뿐이었다.

"바빴어요. 누구 챙길 여유 따위는 없었다고요."

"진짜야?"

"알잖아요"

믿지 못하는 눈치였다.

그렇다고 지금 상황에 더 이상 의심이나 나무랄 수도 없다는 것을 인정했다.

안으로 들어가자 상황은 정리되어 있었다.

실상은 그저 따르는 것뿐이었지만 어찌 되었든 사람들의 웅성거림과 동요는 사그라들어 있었다.

“어떻게 하기로 한 거예요?”

“3화 촬영은 물 건너갔어. 당장은 휴식이야.”

“그러면 연기되는 건가요?”

“당장은 그렇다더군.”

계획이 어긋나버렸다.

샌디가 돌아오기 전에 촬영을 끝마치겠다는 생각

누군가의 죽음에 의해서 뒤집혔다.

그녀가 돌아온다면 다시 또 다른 연기를 시작해야 하고 그것은 달가운 상황이 아니었다.

미리 준비해 놓은 배역이 무너질 것이고 이도 저도 되지 않을 것이 분명했다.

촬영 연기에 대해서 고민하는 동안 사람들은 빠져나갔다.

그날은 극단에 아무도 남지 않았다.

사랑했던 극단원 한 명이 죽어버린 상황에서 사람들은 달라진 공간에서 너도나도 도망치듯이 사라졌다.

끝까지 남아 있었던 사람이라고는 누군가의 죽음이 아무렇지 않다는 듯한 감독과 극단주가 전부였다.

누군가의 온기가 완전히 없어진 것 같은 공간에서 잠만 잘뿐이었다.

원래라면 촬영의 마지막 날이었다.

계획은 톱니바퀴와 같았다.

서로 맞물려 있어 한 가지 어긋나는 순간 생각지도 못한 방향으로 흘러간다.

샌디가 돌아오지 않았다.

여행 중에 그녀에게서 오던 편지들이 멈춘 것은 이틀 전이었지만 돌아오기 직전의 상황 때문일 거라고 짐작했었다.

그렇지만 한 번도 시간 약속을 어기지 않은 그녀가 해외에 나갔다가 돌아오지 않은 것은 믿기지 않는 일이었다.

"버리고 도망쳤거나 무슨 일이 생긴 거지."

어디에 연락해봐야 할지 생각한 순간 떠오르는 것이 없었다.

휴대폰은 없었으며 그녀가 어디를 좋아하는지 그녀의 친구들은 누구인지 직장 주소도 제대로 알지 못했으니 말이었다.

그저 아는 것이라고는 매일 들었던 같이 여행을 떠난 동료의 이름과 어디서나 흔하게 볼법한 마트의 이름뿐이었다.

결국 샌디가 절대 가지 말라던 경찰서를 찾아간 것은 그녀가 돌아오지 않은지 꼬박 2일이 지난 후였다.

2일 동안 피말리는 시간 속에서 머릿속으로 몇 번이고 뛰어갔던 거리를 겨우 갈 수 있었다.

경찰을 믿지 말라며 굳은 표정으로 말하던 그녀의 충고는 애써 무시했다.

“무슨 일이시죠?”

“아내가 사라졌습니다.”

“그게 무슨 말이죠?”

“아내가 사라졌다고요.”

접수대에 앉아있던 세상 귀찮아 보이던 접수원은 2번이나 말해서야 깜짝 놀란듯한 표정을 지으며 일어났다.

수많은 사람들이 모이는 도시에서 사건이 일어나는 건 흔한 일이었지만 그것을 신고하러 오는 일은 드물었기 때문일 터였다.

그녀는 걱정 어린 눈빛보다는 재미있는 일을 발견한 눈빛을 짓고 있었고 처음 들어왔을 때 봤던 눈앞의 여자와 같은 눈빛을 하고 있는 경찰관에게 데려갔다.

“아내 이름이 뭐라고?”

“샌디입니다.”

자리에 앉자마자 로봇처럼 아내의 이름부터 나이, 여러 가지를 물어보았다.

처음에는 대답하지 못할 것이 없었지만 점차 질문이 많아지면서 그의 눈빛은 변해가고 있었다.

권태로워 보이던 형사는 사라지고 눈앞에는 잘 갈아놓은 칼 같은 인상을 주는 사람으로 바뀌어 있었다.

"아내 사진 가지고 있나?"

"사진이라면…"

사진이라면 집에 있었다.

제대로 된 지갑도 없어 들고 다니는 사진은 없었다.

"집에 있습니다."

"그래? 집은 어디인데."

방금 전의 질문으로 무언가 잘못되었다는 것을 알았다.

날카로웠던 형사가 질문을 던지면서 다시 무신경한 태도로 변해버리는 것은 분위기가 이상하게 흘러간다는 것을 의미했다.

눈앞의 남자는 관심 없는 척 연기를 하고 있었다.

이미 늦었을지도 몰랐다.

처음 들어왔을 때 권태로운 눈빛을 가진 형사가 의심의 눈초리로 보기 시작했을 때 자리를 벗어나야 했다.

"사진은 왜 필요하죠?"

"사람을 찾으려면 사진이 필요하지."

"사진이 시스템 상에 없나요?"

"시스템 오류인지 안 보이는군."

표정관리를 잘하는 형사였지만 오히려 그것이 달라진 분위기를 알아차리는 데 도움이 되는지는 모르는 듯했다.

급하게 자리를 뜨고 싶었지만 분위기를 보아하니 눈앞의 형사는 놔주지 않을 거였다.

자리를 벗어날 다른 방법을 생각하려는 찰나 기회가 생겼다.

갑자기 경찰서에 울려 퍼지는 사이렌 소리

소리를 듣자마자 경찰관들이 마구잡이로 밖으로 뛰쳐나갔다.

전화벨이 동시에 울리는 것으로 대형 사건이 터진 것을 말해 주고 있었다.

유명인이 피습을 당했다는 이야기

분위기로 보아 눈앞의 형사도 나가야 하는 것처럼 보였지만 어떻게든 눈앞의 아내를 찾으러 온 남자를 잡아두고 싶은 듯했다.

"제길. 어디 가지 말고 기다리고 있어."

그는 명령조의 말을 하고서는 벗어놓은 외투를 들고는 뛰쳐나갔고, 그 와중에도 안내원에게 뭐라고 속삭이는 것이 감시의 눈길을 잊지 말라는 듯했다.

경찰관들이 썰물 빠지듯이 사라진 곳을 조용히 일어나 밖으로 빠져나왔다.

형사의 모니터를 보고 싶었지만 그건 불가능해 보였다.

남아있는 경찰관들은 딱히 어떠한 일을 하고 있지 않았지만 잔뜩 경계 어린 눈빛으로 주변을 살펴보고 있었으니 말이었다.

"형사님이 그냥 가라고 하셨나요?"

"일이 생겨서요."

안내 데스크에 있던 안내원을 무시하고 밖으로 나왔다.

사이렌 소리가 도시에 가득 울려 퍼지고 있었고 경찰서로부터 도망치듯이 자전거에 올라 집으로 달려나갔다.

경찰관이 집을 알 방법은 없었지만 불안감이 엄습해왔다.

"샌디가 조회가 안된다는 것은 무슨 말이지."

집에 돌아와서 생각해도 이해가 되지 않는 부분이었다.

혼인신고를 하기로 한건 샌디였기 때문에 지금 와서는 했는지 안 했는지도 알 수 없었다.

그저 그녀와의 관계가 부부라고 생각하면서 살아왔으니 생각할수록 기억이 흐려지는 기분이었다.

"기억이 나지 않아."

꿈인 것처럼 그녀와의 첫 만남 기억들도 떠오르지 않았다.

가족과 친구가 없다는 이유로 결혼식도 하지 않았다.

기억나지 않는 샌디가 보고 싶을 뿐이었다.

"도대체 어떻게 된 거야."

고민거리는 돌아오지 않은 샌디를 찾는 것에서 그녀가 누구인지도 포함되었다.

집안 곳곳에서 그녀에 대한 것들을 찾아보았지만 이상할 정도로 나오는 것은 없었다.

흔적을 남기지 않으려고 했던 것처럼 어떤 것도 남아있지 않았고 고작 사진 몇 장만이 꿈속의 허상이 아니라는 것을 스스로 증명할 수 있었다.

이것마저 없었다면 미쳐버린 것은 아닌지 의심해 봤을 터였다.

"어디 있는 거야."

그렇게 며칠이 지나갔다.

없어져 버린 샌디를 찾기 위해서 어떠한 것도 할 생각이었지만 정작 할 수 있는 것이라고는 아무것도 없었다.

기껏 할 수 있는 거라고는 경찰에 신고하는 것 일뿐이겠지만 그마저도 불가능해졌다.

그녀의 직장으로 알고 있던 마트에 전화해 보아도 그런 사람은 없다는 이야기를 들을 뿐이었다.

애초에 생각해 보면 마트 캐셔 일을 멀리 떨어져서까지 다녔다는 것이 이상하게만 느껴졌다.

그녀가 누구인지 알 방법이라고는 없었다.

정작 소식을 알려준 것은 남편이라고 생각 했던 남자가 아니라 한 통의 편지였다.

우편이라고는 지긋지긋한 고지서와 샌디에게 오는 것이 전부였다.

궁금했지만 샌디는 여러 번 읽어보지 말라고 했고 그녀에게 미움받기 싫은 나머지 한 번도 확인해 본 적은 없었다.

"병원."

겉면에 병원의 이름만이 적혀있는 편지에는 생각지도 못한 내용이 담겨있었다.

누군가의 죽음

우편 속의 종이에는 읽어볼 사람에게 죽음을 말해주고 있었다.

제임스와 마찬가지로 누군가의 죽음이 적혀있다고 하기에는 건조하고 짤막한 내용이 전부였다.

"말도 안 돼."

편지를 잡은 손이 떨리고 있었지만 자각하지 못하고 있었다.

처음 보는 이름이었지만 누구를 의미하는지는 유추해 볼 수 있었다.

며칠 동안 누구인지 모르게 느껴진 그녀였지만 사랑하는 사람의 죽음은 믿을 수도 믿고 싶지도 않은 현실이었다.

몇 번이나 부정하면서도 급하게 옷을 챙겨 편지에 적혀 있는 장소로 출발했다.

늦은 시간. 출발해도 새벽에나 도착할 만한 거리였다.

어두운 거리 위의 두려움보다는 슬픔과 고통이 먼저였다.

도시로 들어갈 때 다리 밑의 부랑자는 보이지 않았다.

쉴 새 없이 페달을 밟았지만 동이 틀 때쯤에야 적혀있는 장소에 도달할 수 있었다.

병원은 보통 사람들에게 친숙한 곳일 수도 있겠지만 아이러니하게 지금 거대한 석조건물은 무덤처럼 불쾌감을 자아내고 있었다.

"어떻게 오셨죠."

사람의 왕래가 없을 거 같은 시간이었지만 안내 데스크에는 사람이 있었다.

다만 이렇게 일찍 오는 사람은 드문 것이 보통인지 살짝 놀란 얼굴을 하고는 용건을 물었다.

"편지를 받았는데 어디로 가야 하죠."

편지를 확인하자마자 그녀는 한쪽을 가리켰다.

지하로 내려가는 길이였고 어두운 곳이었다.

불도 제대로 켜져 있지 않은 어두운 길을 따라가면서 여러 생각이 겹쳐나갔다.

훨씬 춥고, 어두운, 그리고 공기마저 무거운 끝에 도달했을 때 이곳에 그녀가 있다는 것을 필연적으로 느낄 수 있었다.

"하아..."

한숨과 함께 나온 작은 탄성 혹은 웃음.

포함하고 있는 것은 이런 어둡고 추운 곳에 있을 그녀에 대한 안타까움. 그녀를 찾게 되었다는 아이러니한 감정이었다.

"어떻게 오셨죠?"

"아내를 보러 왔습니다."

나이 많은 남자는 물었고 그의 손에 편지를 건넸다.

잠시 읽어본 그는 손가락으로 어느 한곳을 가리켰다.

차가운 금속 캐비닛

간단한 숫자가 적혀있는 그것을 남자는 조심히 열었다.

사랑하는 샌디

차가운 곳에 누워있었다.

이미 차갑게 식어버린 그녀에게서는 매번 느껴왔던 따뜻한 온기가 느껴지지 않았다.

그런 점이 눈앞에 누워있는 것이 그녀가 아닌 것만 같은 느낌을 만들어내고 있었다.

그 차가운 느낌은 그녀의 육신이 어떤 미지의 괴물로 변해 눈앞에 누워있는 것만 같았다.

"하아…"

두 번째 한숨

아무 말도 행동도 할 수 없이 다른 공간으로 떨어져 나갔다.

그렇지만 어두운 공간에서 슬픔을 제대로 느끼기도 전에 밖에서 소리가 들려왔다.

"가족들이시라고요? 지금 안에 한 명 들어가 있습니다."

밖의 웅성거림 속에서 유독 들려오는 말소리였다.

대화를 통해 밖에 도착한 일행들이, 누구인지 모를 그녀의 진짜 가족이라는 것을 알 수 있었다.

웅성거림이 더욱 가까워지기 전에 밖으로 빠져나갔다.

'닮았다.'

나가면서 보게 된 그녀의 가족들은 진짜는 다르다는 듯이 울고 있었다.

아버지와 어머니 그리고 동생으로 보이는 모두가 말이었다.

그녀를 빼다 박은 모습에 어머니라는 것을 어렵지 않게 알아볼 수 있었다.

"집으로 가야지."

그녀가 누구인지는 알 수 없었다.

연극 속에는 복선이 있었지만 현실은 징조 없이 다가왔다.

한 번도 들어본 적 없던 가족들과 전혀 모르는 그녀의 이름.

어떤 것도 알고 있는 것은 없었다.

집이 있는 곳으로 이어진 붉은 다리

매일 지나는 그곳에서 집으로 가는 대신에 강둑에 드러누워버렸다.

며칠 동안 지쳐버린 몸과 마음은 아무것도 하지 못한 체 그대로 앉아 해가 지는 것까지 보게 만들었다.

점점 어두워지며 다니던 사람들의 발길이 끊어지는 시간.

퇴근하던 자동차들도 줄어들면서 듣지 못했던 소리가 들려왔다.

누군가의 신음 소리

죽어가기 직전에 어떤 동물이 내는 울부짖음과도 같았다.

소리는 부랑자를 봤던 다리 밑에서 들려오고 있었다.

“살... 려.. 줘.”

강둑에서 몸을 일으켜 조금 더 다가가자 신음 소리 사이에 살려달라는 울부짖음까지도 들려왔다.

저번에 부랑자에게 호되게 당한 경험 때문일까 바닥에 있는 수많은 돌들 중에서 하나를 움켜쥐고 나서야 소리의 근원지로 다가갈 수 있었다.

한 발자국 한 발자국 가까이 다가갈수록 소리는 커져갔다.

당장이라도 숨이 넘어갈 것만 같은 목소리였지만 갈수록 소리는 커져갔고 강둑에 누워있는 동안 듣지 못한 것이 이상할 정도였다.

소리의 근원지에 금방 도착하여 확인할 수 있었다.

“다친 건가…”

부랑자가 누워있었다.

누군가에게 얻어맞은 것인지 모르겠지만 온몸에 상처투성이인 그는 일어날 힘도 없는 것처럼 누워 있었다.

소리를 내지 않았다면 시체라고 생각했을 거였다.

"어떻게 된 거예요."

"녀석들이 그랬어."

녀석들이라는 말에 주변을 살펴보았다.

범행을 저지른 무리는 도망간 것인지 보이는 이라고는 없었다.

거리에도 아무런 소리가 들리지 않았다.

"어떻게 도와줄까요?"

도와줄 만한 방법은 없었다.

연락할만한 휴대전화는 가지고 있지 않았고 그 점은 눈앞의 남자도 마찬가지일 거였다.

그렇다고 응급치료를 해줄 만한 능력도 없었다.

"구급대를 불러줘요?"

사람이 왔다는 안도감과 함께 힘이 다 빠진 것인지 더 이상 물음에 대답하지 못했다.

그저 숨을 헐떡이면서 눈을 감은 상태로 있을 뿐이었다.

아무런 말도 하지 못하고 남은 것이라고는 죽음뿐인 듯했다.

주변에 보는 이라고는 없었다.

천천히 발을 옮겨 누워있는 부랑자의 앞에 섰다.

"눈 떠요."

주변에 들리는 소리라고는 이름 모를 풀벌레의 소리뿐.

그의 앞에 서서 한참을 눈을 감고 서있었다.

불빛 없는 밤이 금방 다가온 날.
어떠한 의식을 치르듯이 몸의 일부가 되어버린 것으로 그를 해방시켰다.

"하아... 하아..."

자전거에 올라타 미친 듯이 페달을 밟아 나갔다.
다리가 끝나기 전에 아직까지 떨리는 손에 들려 있던 몸의 일부를 강 밑바닥으로 던져버리고는 무언가가 쫓아오기라도 하는 것처럼 한 번도 뒤를 돌아보지 않고 내달렸다.
다행히 집에 도착할 때까지 사람은 만나지 않았다.
누군가와 마주쳤다면 머릿속에 그려지지 않는 표정을 짓고 있는 것을 보여줬을 거였다.
혹시나 걱정했던 경찰들도 와있지 않았으며 화장실에서 평소보다도 오래 걸린 샤워가 끝이 나고 나서야 진정이 되었다.

"무슨 일이지."

진정된 몸과 별개로 상황에 대해서 자각하기 시작했다.
이제는 손, 몸 그리고 마음까지도 떨리지 않았다.
오늘 하루 종일 맞닥뜨린 충격적인 일들 때문인지 오히려 현실감 없게 다가왔다.
그래서일까 떨림 따위는 없이 평소와 같이 침대에서 취침에 들 수 있었던 것이 말이었다.

불행 중 다행인지 다리 위로 많은 차들이 지나다니는 것과 달리 어제의 장소는 보이지 않았다.

수많은 사람들이 지나다니는 그 밑에 누군가의 쓸쓸한 죽음이 남아있겠지만 그것을 당장 알아볼 순간은 오지 않았다.

발견까지 얼마나 오래 걸릴지 모르겠지만 제임스의 죽음만큼 가치 없는 죽음일 거였다.

평소와 같이 극단에 도착했을 때 달라져 있는 분위기를 느꼈다.

불과 며칠 전만 해도 제임스의 죽음 때문에 침울했던 극단은 축제의 현장이었다.

1화에 이어서 해리가 주인공인 2화 방송이 대박이 난 것이었다.

사람들은 축하의 말들을 건네고 있었고 그곳의 중심에는 활짝 웃고 있는 해리가 있었다.

"웬일로 늦게 왔네."

"어쩌다 보니 늦었어요."

"그래? 별일이네."

들어오는 것을 보고 별로 친하지 않은 극단원이 물었다.

별거 아닌 질문이었지만 지금은 불편한 내용이었다.

"기뻐 보이네요."

"그렇지? 촬영할 때에는 그렇게 싸우더니 말이야."

"싸워요?"

촬영 중에 만났을 때의 해리는 아무 말도 못 하고 억지로 따르고 있어 보였었다.

제임스와 똑같은 고민으로 말이었다.

"감독에게 캐릭터를 바꾸라고 했거든. 우리가 알던 해리의 모습으로 말이야."

"용케도 촬영을 했네요."

"그래. 모두들 해리도 제임스처럼 교체될 줄 알았지."

제임스의 배역을 교체할 때 보여준 모습을 생각하면 바뀌지 않은 것이 이상했다.

감독은 극단원들을 촬영 도구쯤으로 생각하는 남자였으니 말이었다.

"난쟁이 배우는 섭외가 어렵다더라고"

"아..."

생각지도 못한 대답이었지만 이해는 가는 부분이었다.

극단이 팔리면서 어딘가로 내몰릴지 모른다고 걱정을 했던 해리는 언제 그랬냐는 듯이 환하게 웃고 있었다.

이제 누군가의 죽음이 성공이라는 단어 하나에 묻혀버리는 것은 흔한 세상이었다.

지금 사람들 중에는 말은 안 하지만 제임스의 죽음으로 인해 촬영이 연기되어 버린 것을 아쉬워하고 있을지 몰랐다.

눈앞에서 박수를 받고 있는 난쟁이의 자리가 자신들이 될 수도 있다고 생각하면서 말이었다.

"나하고는 관련 없지."

"뭐라고?"

옆에 서있던 극단원이 혼잣말을 들었지만 대꾸하지는 않았다.

이제 이곳 극단의 일은 관계없는 일이었다.

샌디가 돌아오지 않는 상황에서 의미를 가질 것은 없었다.

"왔구나."

"축하해요."

"고맙다."

해리는 제임스의 죽음 뒤에 있었던 기억이 아직 남아있는지 어색한 말투로 인사말 몇 마디 하고는 자리를 벗어났다.

어찌 되었든 두 편의 성공은 모든 것을 해프닝으로 만들어 잊혀버릴 정도로 강력했다.

그 덕분인가 의외의 일도 일어났다.

해리의 축하파티 소식이었다.

저번에 주연 자리를 받았을 때 술을 사겠다고 말만 한 것과 달리 저녁식사를 크게 쏘겠다는 그의 말에 얼마나 기분이 좋은지 알 수 있었다.

단 한 번도 그에게 얻어먹은 적이 없던 극단 사람들도 당연히 그래야 한다고 생각했으니 말이었다.

"비가 내리려나."

축제 현장을 뒤로하고는 극단 밖으로 나왔다.

어느덧 이제는 일찍 나오는 것이 익숙해진 지금 어디로 가야 하는지도 모르는 상태로 무작정 자전거를 끌고 걷기 시작했다.

지나가는 경찰차를 피해 몸을 숨기며 내리는 비를 맞고 있었다.

후줄근한 옷차림으로 길을 걷고 있는 남자를 의심스럽게 쳐다보는 눈빛 속에서 아무도 모르게 생각을 숨겼다.

천천히 시간은 가고 있었다.

샌디를 어떻게 보내야 할지 마음을 다독여야 할지도 모르는 상태로 시간은 가고 있었다.

시간이 모든 것을 해결해 주기를 바라면서 지겹게 시간만 보내고 있었다.

해리가 사람들을 불러 모은 곳은 처음 가보는 낡은 술집이었다.

간판에 이름도 제대로 붙어있지 않은 그곳은 극단 사람들이 들어가자 가득 차버렸다.

늦게 도착해서일까 안으로 들어갔을 때에는 극단원들이 술에 취한 상태로 다른 손님들과 떠들고 있었다.

"해리 녀석의 성공은 나 덕분이라니까."

시끄러운 목소리에 고개를 돌리자 기분이 좋은지 자기자랑을 늘어놓고 있는 부감독의 모습이 들어왔다.

연속된 성공으로 감독에게 눈도장을 찍었다고 생각하는 것인지 이전보다는 분위기가 좀 나아 보였지만 말을 하는 도중에도 감독 쪽을 흘긋흘긋 바라보고 있었다.

극단원들 모두가 그런 변화를 눈치챘지만 본인만 모르고 있었다.

"일로 와봐."

눈이 마주쳤을 뿐이었지만 불러 세웠다.

그의 말과 행동에 주변 사람들에게 으스대려고 불러 세웠다는 것이 느껴졌다.

"무슨 일이죠."

"무슨 일로 불러야 하나. 다음 촬영 잘하라는 거지. 계속해서 성공했는데 네 녀석이 물 먹이면 안되잖아."

떨거지 3인방 중 부감독이 밟을 수 있는 사람이라고는 한 명 밖에 남지 않았기 때문일까

말을 하면서 어깨를 몇 번이고 두드리는 행동에서 평소보다도 남자다움을 과시하는 듯이 행동했다.

"잘해야죠."

"그래 네가 좀 어두워서 배역에 잘 어울리기는 하지."

살짝 고개를 숙이고는 빠져나왔다.

그도 취했는지 다른 사람들을 찾아 술잔을 한잔 들고는 걸어갔다.

자리를 피하려고 할 때 이번에도 불편한 사람이 찾아왔다.

"준비는 잘 돼가나요?"

"언제 촬영할지가 중요하죠."

"금방 촬영할 수 있을 겁니다. 해프닝 하나 정도는 금방 잠잠해질 테니까요."

해프닝

그가 꺼낸 단어에서 어떤 생각을 가지고 있는지 알 수 있었다.
예상대로 누군가의 죽음 따위는 신경 쓰지 않는 사람이었다.

"가보겠습니다."

이번에는 제대로 자리를 피하려고 한순간이었다.
감독의 입에서 전혀 생각지 못한 말이 나오기 전까지 말이었다.
제대로 들은 것인지 의심이 되는 말이었다.

"아내는 잘 있죠?"

이런 질문을 의례적으로 받아본 적 없는 것은 아니었지만 어제 마주한 그녀의 모습이 떠오르며 평범하게 들리지가 않았다.
시기적으로 이상했고 이전에도 감독에게서 받은 묘한 느낌과 어우러져 다른 의미로 변질되었다.
고개를 돌려 그의 눈을 쳐다보았지만 그 속에는 별다른 감정이 담겨있지 않았다.
아무것도 담겨 있지 않는 눈은 불쾌감과 함께 속에서부터 무언가를 끓어오르게 만들었다.

"왜 물으시는 거죠?"

"별다른 이유는 없었습니다."

미묘한 순간에 한 번 더 눈빛 속에서 무언가를 찾아보려 했지만 발견할 수 없었다.

별거 아닌 질문이라는 태도

반대로 속에서 천천히 끓어오르던 것은 이제 가슴속에서 짜증이라는 이름으로 대체되고 있었다.

눈앞의 남자에게서 아내의 이야기를 듣고 싶지 않다는 생각은 다른 움직임으로 이어졌다.

아무도 모르게 테이블 위에 있는 나이프를 꽉 움켜쥔 것이었다.

꽉 움켜쥔 나이프에게서는 어제의 투박한 돌과는 다른 느낌이 손끝을 타고 올라왔다.

차가운 금속 특유의 감촉에 진정이 되는 것과 별개로 그의 입에서 말이라도 튀어나오는 순간 돌이킬 수 없는 일이 벌어질 터였다.

"감독님. 손님이 오셨어요"

"그래. 갈게요"

극단원의 말에 감독은 살며시 웃으면서 자리를 떠났다.

자리를 벗어나는 그를 쳐다보고만 있다가 손등을 타고 흐르는 액체의 감촉에 쳐다봤다.

세게 잡은 것인지 칼날에 손이 베여 피가 흘러나오고 있었다.

칼날을 따라서 떨어지는 핏물

손을 씻으러 화장실을 걸어가는 동안에도 차가운 감촉은 손에 그대로였다.

오래되고 낡은 술집에서 화장실은 특히나 더러웠다.

그래서일까 화장실이 필요한 사람들도 오지 않고 밖으로 나가서 해결하고 있었다.

"문 열어."

쾅쾅

밖에서 누군가의 목소리가 들려왔다

들어올 때 화장실 문을 잠가서인지 밖의 남자는 화난 목소리로 소리를 질렀다.

"기다려."

칼날을 먼저 물에 닦고 냅킨에 감싸 선반 위에 올려놓았다.

이윽고 손을 닦으려고 하는 순간 뭔가 부러지는 소리와 함께 문이 열렸다.

"문 열라고 했지."

밖에서 화를 내던 남자는 부감독이었다.

짧은 시간에 얼마나 마신 것인지 몸까지 휘청이며 들어온 그는 몇 마디소리를 지르고는 소변기로 걸어갔다.

비스듬히 기대서 볼일을 보는 그는 안에 누가 있는지 알아보지도 못할 정도로 취한 듯했다.

금방 볼일을 보고는 그때까지도 손을 닦고 있던 세면대로 왔다.

"뭐 하는 거야. 비켜."

조용히 옆으로 걸어가 냅킨을 꺼내 손을 닦았다.

이어서 몇 장의 냅킨을 더 뽑아들었을 때 그 손에는 선반 위에 있어야 할 다른 것도 들려있었다.

"감독의 눈치를 보면서 사는 삶은 어떤가요."

"뭐라고?"

술에 취해서 못 들은 것인지 아니면 질문을 이해 못 한 것인지 대답 대신 멍청한 표정을 지어 보일 뿐이었다.

서로의 시선이 맞닿은 곳은 손에 들려있는 물건이었다.

순식간이었다.

냅킨으로 물기를 닦아낸 그것이 부감독의 목에 찔리는 것은 말이었다.

술에 취하지 않았다고 해도 반응하지 못했을 속도로 목에 정확하게 도달했다.

"무슨...짓..이야"

비명이 터져 나와야 할 목에서는 물을 잔뜩 머금고 있는 듯한 소리가 대신했다.

그대로 그의 몸을 밀어 화장실 칸 안으로 밀어 넣고는 움직이지 못하게 힘으로 한참을 눌렀다.

나이프의 크기가 작아서 일까 금방 잦아들 줄 알았던 비명소리와 저항의 몸부림은 생각한 것보다 오래 지나고 나서야 멎어들었다.

그 상태로 화장실 칸을 잠그고 난 뒤에 빠져나왔다.

"벌써 가는 거야?"
"네"

술집을 나오는 도중에 해리를 만났지만 취해버린 사람들은 옷에 묻은 핏물마저도 알아차리지 못할 거였다.
순식간에 벌어진 일이었지만 오랜 시간 준비했던 것처럼 떨림 따위는 없었으며 자연스럽게 모든 일이 행해졌다.
방금 전 일어난 일의 증거는 옷 곳곳에 묻어있는 빨간 핏방울처럼 수십 가지가 넘겠지만 심적으로는 그 어떤 증거도 남기지 않았다.

"이제 되돌릴 방법 따위는 없어."

불과 몇 시간 동안 평생 하지 않을 것 같은 일들을 연속해서 벌이고 있었다.
이것이 정신적인 문제인지 혹은 샌디로 인한 스트레스 때문인지는 알 수 없었지만 이제 혼자서 멈출 수 없다는 것은 분명했다.

붙잡힐 가능성이 높겠지만 갈 수 있는 곳이라고는 집뿐이었다.
다리 위에서 잠시 멈춰 서서 아래를 내려다봤지만 어둠에 가려져서 인지 어떤 것도 보이지 않았다.
부랑자의 시체를 누군가 찾았다면 이렇게 아무 일도 없던 것처럼 조용한 다리 위의 시간을 즐길 수는 없을 거였다.

제임스처럼 슬픔을 공감해 줄 사람은 없을지언정 해프닝을 원하는 사람들의 눈빛에서 생기를 불러일으킬만한 일은 될 테니 말이었다.

"아직도 못 찾은 건가…"

침대에서 잠을 자고 있어났을 때에는 경찰들이 들이닥쳐 있을 거라고 생각했다.

기대했던 사이렌 소리와 사람들의 인기척은 느껴지지 않았다.

경찰들의 무능인 것인지 피해자들이 관심 밖의 대상들이었던 건지 모르겠지만 어찌 되었든 이곳까지는 오지 못한 듯했다.

"어떻게 해야 하지."

선택의 여지는 없었다.

어디로 도망갈 수 있을 리 만무했고 숨는 것도 불가능했다.

그저 혼자 이곳에서 잡힐 때까지 기다리는 게 전부일뿐이었다.

사랑했던 아내는 죽어버렸고 이미 손에는 지울 수 없는 것들이 묻어있었다.

행복은 주스갑처럼 구겨져서 버려졌다.

"출근해야겠지."

평소와 같이 아무 일도 없었던 것처럼 적막감이 가득한 집 안을 빠져나와 극단으로 향했다.

매일 똑같은 출근길.

수많은 차들과 그곳에 타고 있을 사람들

범인은 다시 현장에 돌아온다는 말을 기억하고 있을 누군가를 위해서 다리 밑을 바라보았지만 누구도 알아챌 사람은 없었다.

그저 수많은 차들이 평소와 같이 다리를 건너고 있을 뿐이었다.

다만 깜깜한 자동차 안에서 창문을 통해 주변을 관찰하고 있을 줄 알았던 사람들이 그저 앞만 보고 있다는 것을 알게 된 작은 변화뿐이었다.

자전거 브레이크 소리가 크게 나면서 극단에 도착했다.

오늘 극단에 나와 있는 사람이라고는 없었다.

그나마 촬영을 위해서 나왔던 해리는 드라마의 성공으로 누구보다 바쁜 시간을 보내고 있었고 많은 사람들은 다른 곳을 찾아 떠나갔다.

텅 비어버린 극단에는 촬영을 위해서 만들어 놓은 세트들만 덩그러니 놓여있었다.

청소할 거리만 더 많아진 현실에서 다른 것이 먼저 눈에 들어오고 있었다.

3화를 위해서 만들어진 세트장

"누군가의 죽음에 큰 의미가 있다고 생각하나."

청소용 빗자루를 들고 나머지 한 손에는 어딘가에서 굴러떨어져 있던 가면을 들고 있었다.

그 안에서 오래도록 준비했던 대사를 읊조렸다.

배역에서 빠져나올 수 있게 만들어준 것은 누군가의 박수소리

적막한 극단을 가득 채우는 박수소리였다.

"계셨습니까"

언제부터 보고 있었는지 모르겠지만 관객석의 한편에서 박수소리의 주인공을 볼 수 있었다.

첫 만남과 비슷한 상황이었지만 이번에 그는 어둠 속이 아닌 밝은 곳에서 보고 있었다.

부감독의 죽음을 전해 들었는지 모르겠지만 옆에 찰싹 달라붙어 있어야 할 그의 모습은 보이지 않았다.

"빠져드는 줄 알았습니다. 대단하네요"

"네"

"촬영이 연기되어서 속상한가요?"

"계획대로 되지 않은 것은 때때로 화가 나죠."

다소 도전적인 말에 기분 나쁠 수 있는 상황이었지만 그는 내색하지 않았다.

대신에 그는 천천히 걸음을 옮겨 세트장 안으로 들어왔다.

그리고는 한쪽 손을 내밀어 들고 있던 가면을 가져갔다.

"가짜는 의미 없어."

3화 악역의 대사 한 줄을 읊조리는 감독의 모습에서 어색함이 느껴졌다.

다른 사람의 각본을 훔쳐서 성공했다는 소문.

한 문장만을 연기했지만 그의 것인지 아는 데에는 충분했다.

"괜찮나요?"

"네"

몇 마디 더 대사를 내뱉는 그의 목소리에서는 어떠한 것도 느껴지지 않았다.

아무도 없는 극단

이곳을 찾아올 사람은 당분간 없을 거였다.

어제 생각만 하고 이루지 못했던 일의 주인공이 눈앞에 무방비하게 있었다.

낡은 극단에는 누군가의 목숨을 앗아가기에 충분한 것들이 가득했다.

선택한 것은 연습을 위해 꺼내 놓은 오래된 연극용 단검이었다.

꽈악

"제 연기 어땠나요?"

"다 끝났습니까?"

"네"

한 발자국씩 천천히 뒤로 접근하였다.

먹잇감을 뒤에서 덮치려는 야생동물의 움직임처럼 말이었다.
어제처럼 구해줄 사람 따위는 어두컴컴한 극단에 없었다.
어느 정도 거리에 도달했을 때 더 이상 막을 것이라는 없었고 손만 뻗으면 닿을 거리였다.
두 손으로 온 힘을 다해 찌르는 그 상황에서 감독은 생각보다도 빠르게 반응했다.
심장을 깊게 찌르지 못한 상황에서 거리를 벌리는 그를 쫓아 들어가 목을 찔렀다.
빠른 반응이었지만 시작한 이상 결과는 정해져있었고 오히려 비명이라도 내질렀다면 조금이나마 당황하게 만들었을지도 몰랐다.
그저 잠깐의 해프닝에 불과한 움직임이었다.

"무슨.. 짓이야.."
"연기를 못했거든요"
"그게 무슨 말도 안 되는..."

그는 말을 끝내지 않고 어디서 쏟아난 기운인지 오히려 마지막 힘을 짜내 달려들었다.
훨씬 커다란 덩치를 가지고 있는 그였지만 쏟아져 나오는 피는 그의 힘을 앗아가고 있었다.

우당탕탕

무게에 실린 힘은 둘을 넘어뜨리기에 충분했지만 얼마 안 있어 한 명만이 결투의 승자로 일어났다.
사방은 온통 붉은색 천지였다.

피가 많이 나올 거라고는 생각했지만 이 정도일 거라고는 생각지 못했다.

오늘 극단에 아무도 올 리가 없다고 생각했지만 방심할 수는 없었다.

지금도 부감독이 살해된 증거들을 찾으며 누군가는 이곳으로 움직이고 있을 거였다.

커다란 덩치를 들어옮겼다.

"엄청 무겁네."

보통이라면 시체를 처리하는데 곤란하겠지만 행동을 하기 전에 이미 생각해둔 곳이 있었다.

세트장 한편에 있는 나무 상자.

커다란 덩치의 그를 넣기 위해서 고무망치로 몇 곳의 뼈를 부수는 것 말고는 어려움은 없었다.

애초에 이런 용도로 만들어진 듯이 피가 새어 나오지 않도록 방수처리까지 되어있으니 말이었다.

흔적이 묻어있는 물품들도 상자에 넣고는 한쪽으로 밀어 옮겼다.

"하아..."

모든 일이 끝이 났을 때 잠깐 앉아 숨을 돌렸다.

아직까지 세제 냄새 사이로 혈향이 남아있었지만 얼마 안 있어 극단의 다른 냄새들과 어우러질 거였다.

어차피 잡히지 않을 거라는 생각 따위는 버린 지 오래였고 평상시라면 끔찍한 상상이라고만 생각했을 일들이 세 번 만에 현실이 되었다.

"왜 아직까지 소식이 없는 거지."

3명째

오늘 처리한 감독은 찾지 못했을 테니 빼더라도 벌써 두 명이나 살해한 뒤였다.

증거는 무수히 많았을 테고 그것들은 모두 한곳을 향하고 있을 거였다.

머릿속을 울리는 경찰 사이렌이 당장 현실로 바뀌어 밖에서 울려도 이상하지 않을 거였다.

"아직 시체를 발견하지 못한 건가."

그렇게 생각해보려 해도 부감독의 마지막 모습이 눈에 들어왔다.

집으로 들어오자마자 피곤함에 쓰러지듯 잠들 생각이였지만 우편통에 넘쳐있는 우편물들이 눈에 들어왔다.

가득 쌓여있던 우편통을 통째로 들고와서는 식탁 위에 마구잡이로 쏟아부었다.

수많은 편지들 그것들의 대부분은 밀려버린 고지서일 것이였다.

"이건..."

그렇지만 한 가지가 더 있었다.

자그마한 흰색 봉투의 겉면에는 병원의 이름이 적혀있었다.
불과 며칠 전 샌디의 마지막을 보냈던 곳과는 다른 이름이었다.
열어보자 안에는 몇 장의 종이가 들어있었다.

"퇴사 안내문?"

이곳으로 올리 없는 병원 퇴사에 대한 안내문이었지만 적혀 있는 내용은 뜻밖에도 지금까지의 궁금증을 풀어줄 만한 실마리였다.
죽음으로 인한 퇴사 처리
그것이 누구를 가리키고 있는지는 말하지 않아도 알 수 있었다.
특히나 그곳에 적혀있는 이름이 더욱 확신을 불러일으켰다.

"안치실에서 봤던 이름."

적혀있는 내용으로 그녀의 마트가 어디였는지 알 수 있었다.
샌디에 대한 몇 안되는 단서의 병원은 평범한 병원이 아니었다.
정신적으로 문제가 있는 사람들을 격리하는 정신병원
어디서 이름을 들어봤는지는 어렵지 않게 생각할 수 있었다.
TV에 나오던 범죄자들 중 많은 이들의 종착지인 곳이었다.

"어째서 이런 곳에 근무한 거지."

그녀가 무엇 때문에 모든 일들을 숨긴 것인지 알 수는 없었다.
그것은 다른 방법으로 찾는 수밖에 없었다.
매일 괴롭히면서 입버릇처럼 문제가 있을 때마다 자신을 찾아오라고 말하던 극단주
한 번도 그 말을 믿은 적 없었지만 이번에는 도움을 받을 수

있을 거 같았다.

클럽 몇 군데만 돌아보면 찾는 것도 어렵지 않을 것이었다.

"여기 있었구나."

클럽 몇 곳을 확인하고 찾을 수 있었다.

시끄럽고 어두운 그곳에서 도움을 줄 상대는 자신의 뒷배경을 믿고서인지 왕처럼 앉아있었다.

눈앞에는 언제부터 마신 것인지 모를 값비싼 술병들이 마구잡이로 굴러다니고 있었고 테이블 위에는 대놓고 몇 가지 가루들이 있었지만 숨기거나 하지 않았다.

"여기는 무슨 일이야?"

발견하자마자 극단 안에서처럼 반말과 함께 일어나 다가왔다.

궁금증을 느낄만한 것이 매일 피하려고 했던 것을 알고 있었기 때문이었다.

눈빛에선 호기심이 가득했다.

"도움을 받으려고"

"도움? 뭔데?"

"조금만 가까이 와."

조금 더 가까이 와야 했다.

평소와 달리 반말을 하는데도 아무 생각 없이 다가오는 그의 발걸음에서 충분하다고 느꼈다.

고민 따위는 없었고 벌써 4번째 경험이었다.

도구는 손에 익은 것 한가지면 충분했다.
무대 위에서 감독에게 사용했던 것이지만 이번에는 얇은 손수건을 껴놓아서 이전만큼 옷이 더러워질 리도 없었다.

첫 번째로 찌른 것은 이제까지 경험에서 제일 효과적인 목이었다.
이어서 곧바로 빼서는 심장을 찔렀다.
약과 술에 취해 있는 사람이 반응할 만한 것이 아니었다.
그렇게 순식간에 몇 번을 더 찌르고는 밖으로 도망쳤다.

"고맙다."

그의 도움은 이것으로 충분했다.
쓰러지는 그의 몸을 제대로 보지도 못하고는 밖으로 뛰어나오자마자 정신없이 달렸다.
조금만 늦었어도 클럽 안의 경비들에게 잡혔을지 몰랐지만 어둡고 음침한 거리가 도와주었다.
밤이었지만 수많은 사람들이 거리를 목적 없이 걷고 있었다.

"무슨 일이시죠."

저번에도 만났던 안내원
왔었던 것을 까맣게 잊은 것인지 똑같이 권태로운 표정만 짓고 있었다.

"범죄 신고를 하려고요."
"앞쪽 서류를 작성해 주세요."
"중요한 일이라서 직접 형사님에게 말하고 싶은데요"

"서류 작성이 먼저예요."

그녀는 휴대전화를 보느라 제대로 쳐다도 보지 않고 있었다.

다만 이번에는 손가락을 들어 서류가 있는 곳을 가리키는 행동을 추가했을 뿐이었다.

불친절한 사람이었다.

"저번에 한번 왔었는데요."

그제야 고개를 들어 얼굴을 쳐다보았다.

천천히 바라보던 그녀의 얼굴에서 기억이 떠올랐다는 것을 알 수 있었다.

놀란 표정의 그녀는 눈앞의 남자를 놓친 것을 두고두고 생각하고 있었을지 몰랐다.

"따라와요."

곧바로 안내받은 자리

저번 형사의 자리였지만 그때와 달라진 점은 책상 위의 서류가 이전보다 많다는 것이었다.

수많은 서류 폴더들이 어질러져 있었는데 그것들에 파묻혀 얼굴이 보이지 않았다.

"범죄 피해를 신고하러 왔다는데 저번에 한번 찾아왔었어요."

"그래?"

"아내를 찾으러 왔던 남자요."

그는 이제야 서류에서 눈을 떼고 쳐다보았다

지쳐 보이는 표정과는 달리 눈빛은 이전보다 반짝이고 있었다.

손에 들려있는 서류철에는 극단 살인사건이라고 적혀있었고 책상 위의 어렴풋이 보이는 것에는 부감독의 이름이 적혀있었다.

그리고 한편에는 제임스의 자살 사건도 놓여 있었지만 겉면에 커피잔 자국이 있는 것으로 보아 어떤 대접을 받고 있는지 알 수 있었다.

"범죄 피해를 당한 것은 아니고..."

"잠시만"

그는 말을 끊고 걸려온 전화기를 손에 들었다.

눈앞의 형사뿐만이 아니라 그 옆의 형사 이윽고 전화기에서 소음들이 쏟아져 나오고 있었다.

몇 마디 통화를 하면서 형사는 표정이 시시각각 변하고 있었다.

전화기 너머의 상대편이 얼마나 흥분했는지는 가만히 앉아 있어도 들려오는 목소리로 알 수 있었다.

그것은 테이블에 올라갈 마지막 사건의 이야기였다.

"당장 출동해."

"귀찮게 되었네."

안쪽 사무실에 있던 남자의 고함소리에 몇 명이 급하게 옷을 들고 뛰어나갔다.

책상에 놓여 있는 사건들은 시간이 많이 지났어도 눈앞의 사람 하나 잡지 못했지만 이제 겨우 한 시간도 지나지 않은 누군가의 죽음은 생각했던 것보다 빠르게 뒤쫓고 있었다.

죽음의 무게가 같을 수는 없었다.

"시간 없으니까 빨리 말해."

"제가 이걸로 사람을 죽였거든요."

소매 안쪽에 보이지 않도록 넣고 있던 단검을 책상 위에 그대로 꽂아버렸다.

날카로운 소리와 함께 그것은 책상 위의 서류철을 뚫고 깊게 박혀버렸다.

빨간 액체가 묻어 이제는 굳어가고 있는 그것은 누가 보더라도 범죄현장의 도구였다.

큰소리에 주변에 있던 모두가 쳐다보았지만 한 번도 경험해 보지 못했을 일에 반응하지 못했다.

이윽고 사방에 있던 형사들은 가만히 있는 사람을 잡기 위해서 순식간에 달려들었다.

그대로 책상에 얼굴을 박은 상태로 양손에 수갑이 채워졌다.

제2부

서늘한 콘크리트로 뒤덮여 있는 삭막한 공간

일부러 불을 꺼둔 것인지 한쪽 구석만 조명이 들어와 있었다.

그곳에 한 명의 남자가 자리에 앉아 누군가를 기다리고 있었다.

자세히 보자 어두워서 보이지 않는 구석에 두 명의 건장한 남자가 그를 지켜보고 있었다.

불안한 기색 없이 앉아있는 남자와 달리 두 명의 눈빛에는 경계와 적대감 그리고 불안감이 어려있었다.

얼마 안 있어서 문이 열리며 한 남자가 헐레벌떡 들어왔다.

30대 정도 되어 보이는 그는 일이 많은 것인지 양손에 두꺼운 서류뭉치와 커다란 가방을 메고 있었다.

들어오자마자 주변을 한 바퀴 둘러보고는 혼자 앉아있는 남자에게 다가오며 말을 꺼냈다.

"반갑습니다. 국선 변호사 댄입니다."

"네"

"과묵한가 보군요."

자신을 소개할 때 국선인 것을 강조한 그는 원래 성격인지 모르겠지만 딱딱하게 대답이 돌아와도 별로 개의치 않는 듯했다.

그저 자리에 앉아 무거운 서류더미들을 내려놓을 뿐이었다.

그중에서 서류철 하나만을 책상 위에 올려놓았는데 다른 것에 비해서 두껍지 않은 그것은 둘의 만남이 처음이라는 것을 말해 주고 있었다.

"일이 많아서 본론만 말하죠. 국선 변호사를 요청하신 것이 맞나요?"

"네."

서류철을 열어서 잠시 훑어 보던 그의 표정은 금방 찌푸러졌다.

그렇지만 그것을 금방 웃음으로 감추어버렸다.

어떤 표정이 그의 성격인지는 어렵지 않게 알 수 있었다.

"어떠한 것 때문에 요청한 거죠?"

"자기가 맡을 상대의 서류 정도는 미리 봐야 되는 거 아닌가?"

"보다시피 일이 많아서요."

까칠한 말에 별거 아니라는 듯이 대답했다.

단지 댄은 자신의 질문에 대답을 얼른 하라고 눈빛으로 강요하고 있었다.

도움을 요청한 사람은 자신이 아니고 당신이라는 의미를 담아서 말이었다.

"범죄자가 변호사를 찾는 이유는 뻔하지."

변호사는 서류철의 범죄자를 보고 있지 않았다.
그렇지만 방금 전의 말에는 응시했고 그 시선 속에는 혐오감이 어려있었다.

"끔찍한 죄를 범하고 감면이라도 받아 달라는 건가요?"

방금까지 부드러운 말투는 사라졌다.
다분히 도전적인 말투에는 변호사라면 해서는 안 되는 일 중 하나가 담겨있었다.
자신의 의뢰인에게 적개심을 갖는 것을 말이었다.

"그건 다음에 이야기하지."
"바빠서 오늘 이야기해야겠습니다. 서류상에는 3명이나 죽였던데 맞나요?"
"그래"

무미건조한 대답에 보고 있던 서류를 세게 덮어버리고는 책상 위에 던지듯이 올렸다.
그렇지만 3명이나 죽인 남자는 눈 하나 깜빡하지 않고 그 순간을 보고 있었다.

"어느 정도 감면이면 될까요?"
"공격적이군"

"평범하게 말하는 겁니다."

감면에 대해서 더 이상 말하지 않았다.

서로 말싸움만 될 거라는 것을 둘 다 알고 있었으니 말이었다.

의외로 먼저 기싸움을 피한 건 3명이나 죽인 연쇄살인마였다.

"오늘은 여기까지 하지."

"아까도 말했지만 바빠서 빨리 끝내고 싶다니까요."

"빨리 끝내고 싶어도 우리가 선택할 수 있는 게 아니어서 말이야. 서류를 끝까지 읽어보면 무슨 말인지 알게 될 거야."

마지막 말을 끝으로 안으로 들어가 버렸다.

변호사는 상관없다는 듯이 일어나서 짐을 챙겼다.

문밖으로 빠져나가려던 그는 멈춰 서고는 방금 전에 넣은 파일철을 다시 꺼내 앉았다.

다른 파일철에 비하여 두껍지 않은 그것에는 자세한 수사기록들이 적혀있었다.

끝까지 읽었을 때에 변호사의 얼굴은 일그러져 있었다.

"귀찮게 되었네."

첫 번째 희생자, 두 번째 희생자 그리고 마지막 세 번째 희생자에 대한 자료를 읽었을 때 우리가 끝낼 수 없다는 말의 뜻을 이해할 수 있었다.

변호사와 의뢰인이 다시 만나는 데에는 오래 걸리지 않았다.

이번에 만남을 요청한 것은 변호사였다.

첫 번째 만남처럼 서류를 잔뜩 가지고 있었지만 이번에는 늦지 않고 먼저 자리에서 기다리고 있었다.

“빨리 만남을 신청했군.”

“처음 만났을 때 말한 것처럼 빨리 끝내고 싶으니까요.”

가시 돋친 말투에는 변함이 없었다.

자리에 착석해서는 아무 말도 없이 시간만 보내고 있었다.

먼저 말을 꺼내는 사람이 지는 것처럼 신경전이 이어졌지만 이번에 말을 먼저 꺼낸 것은 변호사였다.

세명이나 죽이고 감옥에 갇혀 있는 남자보다는 시간에 쫓기는 것은 자신이니 말이었다.

“3명이나 죽였습니다.”

“그래. 한번 대답했지.”

“당신 말대로 할 수 있는 건 많이 없을 겁니다. 당신이 죽인 세 번째 사람 때문에 없다고 봐야겠죠.”

알고 있다는 점을 고개를 끄덕이는 것으로 표현했다.

세 번째로 죽인 남자

그 사람은 오래된 극단의 주인이자 나라 전체에 힘이 뻗혀있는 유력한 가문의 외동아들이었다.

세 번째 범죄와 관련해서 그의 가문이 가만히 둘리 만무했다.

"무기징역일지 사형을 당할지 혹은 어떠한 끔찍한 짓을 당할지는 그 사람들 손에 결정날 겁니다."

말을 하는 변호사는 평생 동안 노력해서 무력함을 느끼고 있는 자신의 처지를 비관할지 몰랐다.

그래서인지 많이 지쳐 보였다.

"열 내지 말라고 내가 그 사람을 죽인 건 사실이니까."

둘은 그렇게 아무 말도 없이 자리에 앉아 시간을 보냈다.

서로에게 더 이상 해줄 말은 없을 테고 심판의 앞에서 기다리기만 하면 되는 신세였다.

죄를 짓고 잡힌 범죄자나 자유롭게 돌아다니는 변호사나 보이지 않는 수갑에 묶인 것처럼 할 수 있는 것이라고는 없었다.

"한 가지만 물어봅시다."

"얼마든지"

"3명의 희생자 중에서 앞의 2명은 충동적이었습니다. 그들이 찾아왔고 당신은 범행을 저질렀으니까."

계속하라는 듯이 고개를 끄덕였다.

변호사의 표정에는 궁금증이 어려있었다.

"그렇지만 세 번째는 달라. 당신이 희생양을 골라서 찾아갔으니까."

"어떤 이유가 있냐는 물음인 건가?"

"잠깐 이야기했지만 이유가 없을 거라고 생각하지는 않아서."

장난 섞인 말로 대답하기에는 눈앞에 앉아있는 변호사의 눈빛이 진심이었다.

"별다른 이유 따위는 없다고 해두지."

믿기 어려운 대답이었지만 변호사는 더 이상 캐묻지 않았다.

듣고 싶던 대답은 아니었지만 범죄자들과 어떤 관계를 갖는 것은 그 정도면 충분했다.

그것이 국선 변호사를 시작한 뒤 댄이 가지고 있는 원칙이었다.

범행은 사람들에게 흥미를 불러일으킨 모양이었다.

재판 당일 재판장으로 이동하는 짧은 통로였지만 수많은 사람들이 보기 위해서 기다리고 있었으니 말이었다.

법원 직원들이 필사적으로 막고 있지만 멀리서 반짝거리는 불빛들까지는 막지 못하고 있었다.

"그들이 보고 싶은 건 부잣집 도련님을 잔인하게 살해한 살인마일 뿐입니다."

"알고 있어. 그들이 가진 것은 호기심일 뿐 동정도 의미도 가지고 있지 않다는 것을 말이야. 그런 것을 바라는 것은 그저 사치일 뿐이야."

예상대로 법정에서의 공방은 중요한 의미를 가지고 있지 않았다.

중대한 범죄와 유력한 가문의 힘이 합쳐진 결과물은 변호사와 범죄자에게 어떠한 선택권도 줄 리가 만무했다.

그 와중에도 범죄자에 대한 거부감을 드러내는 것을 숨기지 않던 변호사는 자신의 일에 대해서만큼은 충실히 임하고 있었다.

그나마 열정적인 변호사로 인하여 거취를 놓고 잠시 휴정을 가지게 되었다.

"미안합니다."

"어떤 게 말이지."

"당신은 정신병원에 가게 될 테고 저들의 마음대로 될 거라는 것이죠."

휴정의 이유였다.

범죄사실은 명백했고 법정에서의 치열한 공방은 한 가지였다.

정신병원에 보내질 것인지 감옥으로 보내질 것인지 말이었다.

그것이 저들의 목표였고 그것을 막기 위해서 목이 터져라 소리 지른 변호사였다.

"저들의 뜻대로 해주고 하나 챙겨보지 그래."

"당신을 정신병원으로 데려가는 일에 저들은 모든 것을 다 바칠 겁니다."

"그래서?"

"그래서라니... 당신은 저들의 추악한 면모를 몰라서 하는 말입니다."

"그들이 추악하지만 나도 추악하긴 마찬가지야. 안 그런가?"

젊은 변호사는 몇 마디 말을 하려다가 멈춰 섰다.

그 안에는 말을 한다고 해서 달라질 것 없는 현실에 대한 분노도 들어있었지만 눈앞의 남자의 말이 맞는다는 것을 알고 있었기 때문이었다.

또한 눈앞의 남자가 아무런 반응이 없는 상황에서 이러한 분노를 자신이 표출하는 것이 이상했기 때문이었다.

"어차피 정해진 미래라면 좋은 기회라고 생각해. 돈이든 자리든 정신병원에 보내는 대가로 말이지."

변호사는 바보가 아니었다.

그의 말과 행동에서 가지고 있던 의문점 한 가지의 정답을 도출해낼 수 있었다.

"세 번째 피해자. 일부러 죽인 게 맞군."

"세명 모두 일부러 죽였지."

"세 번째는 충동적이지 않았어. 우연히 만난 것도 아니고 당신이 찾아간 것이지."

별다른 이유가 없었다는 것과 달리 세 번째 피해자의 죽음에는 앞선 두 명의 피해자와는 다른 의미가 있는 게 확실했다.

그렇지만 그것은 바깥의 말하기 좋아하는 사람들의 부자에 대한 적개심이나 어떤한 사명감은 아니었다.

그가 궁금증을 해결해 주길 바라며 쳐다보았다.

"이유를 말해주면 당신도 부탁을 하나 들어줘야 해."

세명이나 죽인 연쇄살인범이었다.

그런 그에게서 나올 부탁이 어떤 것인지 감이 잡히지 않았고 변호사는 불길함을 느꼈다.

지금의 약속이 어떤 방향으로 향할지 알 수 없었기에 보통이라면 댄은 이러한 약속을 하지 않았을 거였다.

"불법적인 것은 안됩니다."

"물론이지."

조용히 손을 내밀어 댄의 손에 들려 있던 본인의 서류철을 가져갔다.

그곳에는 인적 사항으로 시작해서 범죄행각 그리고 앞으로의 미래까지도 적혀있었다.

손가락으로 가리킨 곳은 남자와 같이 찍혀있는 여자의 사진이었다.

"보고 싶은 누군가를 만나기 위해서 세 번째 사람을 죽였지."

"미쳐버린 것이 맞군요. 그녀는 죽었습니다."

"죽고 나서야 진정한 모습을 만날 수도 있어. 어찌 되었든 그들이 원하는 대로 하면 돼."

정확하지 않은 추상적인 대답이었다.

그렇다고 대답을 해주지 않은 것은 아니었기에 변호사는 부탁을 물어보지 않을 수 없었다.

한편으로는 태연하기만 한 그가 가지고 있을 부탁이 궁금했다.

묘한 분위기를 풍기는 눈앞의 범죄자가 사소한 부탁을 해주길 바라는 마음이었다.

그렇다면 그가 다시 평범한 범죄자로 전락할 테니 말이었다.

"부탁은 간단해. 다리 밑에서 한 명의 부랑자를 죽였는데 아직까지 그를 찾지 못했는지 알아봐줘."

변호사는 놀라서 숨을 들이켰다.

방금 그는 손에 들려 있는 서류철의 3명이라고 적혀있는 피해자의 숫자가 4명이라는 자백을 했으니 말이었다.

변호사가 의뢰인에게 불리한 일을 하지 못한다고 하지만 요행은 충분히 가능했다.

"상의할 시간은 끝났습니다. 재판장으로 들어가시죠."

휴식시간이 주워졌다는 것이 의심스럽게 재판은 빨리 끝이 났다.

역시나 둘이 대화하는 동안 모든 것들이 정해져 있었고 그것에 반대할 사람도 없어졌기 때문이었다.

결정은 빨랐고 받아들이는 사람은 담담했다.

이제 눈앞의 버스를 타면 정신병원으로 옮겨질 것이었다.

그리고 영원히 그곳에서 벗어날 방법은 없을 거였다.

"저기..."

전화를 마친 변호사는 의뢰인에게 다가왔다.

얼굴에는 모르겠다는 표정이 어려 있었는데 그것은 전염되듯이 듣는 이의 얼굴로 옮겨갔다.

"당신이 부탁했던 것을 알아봤는데..."

"빨리 알아봤군."

"이상한 일이군요. 아는 경찰관에게 물어보고 다리 밑에까지

가달라고 부탁했는데 어떠한 것도 발견되지 않았다고 하니까요."

당황한 표정의 의뢰인은 몇 마디 질문을 던지려고 했지만 사람들에게 끌려서 버스에 태워졌다.

그 모습에 기다리고 있던 사람들은 셔터를 연신 눌러대었다.

버스는 떠나갔고 남겨진 변호사만 이상하다는 표정을 짓고 있었다.

자신의 의뢰인이 흉악한 범죄자는 맞았지만 거짓말할 사람은 아니라고 생각했기 때문이었다.

범죄자들을 태운 버스는 오래 달리지 않아 목적지에 도착했다.

샌디를 떠나보냈던 병원보다도 커다란 흰색 건물

평범한 병원들과는 다르다는 것을 높은 벽과 그 위의 철조망이 보여주고 있었다.

"이곳은 언제 와도 기분이 안 좋다니까."

버스를 같이 타고 온 공무원들은 이곳이 혐오스러운 듯했다.

그래서일까 타고 있던 사람들을 내던지듯이 놓고 가버렸다.

예의는 있는 곳인지 손님을 맞이하기 위해서 꽤나 많은 사람들이 나와있었다.

그중에서 눈에 띄는 것은 익숙한 색의 금발머리를 가진 여자였다.

"걸어갈 테니 밀지 말라고"

"너희들은 범죄자일 뿐이야. 이곳에 들어온 이상 여유로운 태도도 조만간 사라질 거다."

특별히 저항하지 않아도 거칠게 잡아끌고 있었다.

방금 볼멘소리를 한 죄수는 좌우에서 잡아 끄는 남자 간호사들의 발에 몇 번이나 걸려 넘어지고 나서야 안으로 들어갈 수 있었다.

내부로 들어가자 비슷한 건물이 생각났다.

이제는 세상에 없는 제임스의 집.

구조적으로는 비슷했지만 그곳과의 차이점은 깨끗하다는 것이었다.

"방으로 데려와요"

금발머리 여자는 얼굴을 확인하고는 먼저 걸어 들어갔다.

목소리에는 분노도 슬픔도 짜증도 어떠한 감정도 느껴지지 않았다.

"불쌍한 자식. 가문의 사람을 죽이고 이곳으로 오다니"

옆에 있던 간호사는 그녀가 사라지자 혼잣말로 낮게 읊조렸다.

눈앞에 있는 연쇄살인마를 걱정하는 것은 아니었다.

다만 앞으로 벌어질 끔찍한 일을 본인이 봐야 한다는 것에 대한 거부감이었다.

저항 한번 하지 않았고 가지고 온 물건도 없어서인지 신체 확인은 빨리 끝이 났다.

"앞으로 걸어."

간호사들은 절대 환자보다 앞으로 걷지 않았다.

항상 거리를 조금 벌리고는 뒤따라 왔으며 한쪽 손은 허리춤의 삼단봉에 올려져 있었다.

몇 번이나 당한 것인지 껄렁거리는 간호사 그 누구라도 이것만큼은 지키고 있었다.

적당한 거리야말로 스스로를 지키는 가장 확실한 방법이었다.

"끔찍하군"

말 그대로 끔찍한 방이였다.

정신병원이라고 한다면 흔히들 생각할 만한 하얀색 방

그곳에는 의자 하나만 덩그러니 놓여있었다.

의자의 밑에는 비닐이 꽤나 넓게 깔려 있었다.

"자리에 가서 앉아."

"앉고 싶지 않은데"

"앉으라면 앉아."

강제로 잡아 앉혀졌다.

의자를 포함해서 모든 것이 불편했지만 그중에서도 제일은 맨발에 닿는 비닐의 감촉이었다.

말하지 않아도 물건의 쓰임을 알 수 있었다.

"여기서 얼마나 많은 사람들이 고통받은 거지?"

"치료받은 거야. 너희 같은 범죄자들에게 필요한 치료 말이야."

간호사들은 이런 말을 하는 것에 거리낌이 없었다.

자신들의 행위로 잘못될 것이라는 불안감이나 두려움마저도 찾아볼 수 없었다.

인간으로서의 양심의 가책마저도 건물 밖에 두고 왔다.

"누군가가 이 사실을 알면 그냥 끝나지 않을 텐데"
"너희 같은 녀석들은 이런 대우를 받는 게 당연해. 이곳에서 벌어지는 것들 그 누구도 믿어주지 않으니까 기대하지 말라고."
"미쳤군."
"이곳은 성이고 감옥이야."

몇 마디 말을 더하려던 간호사는 문이 열리는 소리에 입을 다물었다.
문을 열고 들어온 사람은 아까 봤던 금발 여자였고 들어오자마자 자연스럽다는 듯이 의자 앞에 섰다.
생각과는 달리 그녀는 대화를 하고 싶어 했다.
눈짓으로 의자를 가져오게 하고는 앞에 앉았으니 말이었다.

"왜 죽였어?"

눈앞의 여자는 극단주의 가족이 맞다는 것을 여실히 보여주고 있었다.
가까이서 보니 더욱 닮은 얼굴은 생각했던 것보다도 피로 이어져 있는 사이라고 생각이 들었다.
특히나 자신보다 약한 먹잇감을 바라보는 듯한 차가운 눈빛과 진한 금발이 그러했다.

"나에게 그 녀석에 대한 정 따위는 없어. 오히려 그 녀석이 죽어서 좋지만 몇 명은 아니거든."

"풀어달라는 말은 안 통하겠군."
"죽인 이유가 궁금해."

대답을 하기도 전에 입에서 비명이 튀어나올 뻔했다.
그녀가 신고 있던 높은 굽의 하이힐은 다른 쓰임을 가지고 있었다.
발등을 찍는 순간 한순간에 고통이 밀려오는 무서운 고문 기구
연속해서 몇 번을 밟아 댔지만 신음 소리 한 번을 내지 않고 버텨냈다.

"버텨낼 수 있나 봐?"
"조금 따가운데"
"뭐 하고 있어. 가져와"

박스를 가져왔다.
그것을 연 순간 지금 이 시간이 눈앞의 여자에게 얼마나 행복감을 주는지 알 수 있었다.
깨끗하게 정리된 도구들.
도구마다 다른 용도를 가지고 있겠지만 지금 이곳에서는 한 가지 용도로만 사용될 것이었다.

"얼마나 버틸 수 있을지 궁금해. 가급적이면 오래 버텨봐."

그녀의 즐거움이 끝났을 때에는 몸에 멀쩡한 곳이라고는 없었다.
그렇지만 얼굴만큼은 그녀도 건들지 않았다.

"잘 버티네."
"실력이 별로인건 아니고?"

살짝 인상을 찌푸렸지만 그녀는 미소를 지었다.
아무것도 모르는 사람이 봤다면 아이처럼 순수한 미소에 넋이 나갈 수도 있겠지만 그 안에는 어둡고 추한 의미가 담겨 있었다.

"이제 시작이니까 걱정 마."

메인 디시는 천천히 먹는 것을 좋아한다는 그녀의 말을 끝으로 두 명의 간호사에게 끌려나왔다.
스스로는 일어날 수조차 없는 몸 상태였다.

"신음 소리 한번 내지 않다니 대단하군."
"대단하다는 말은 이럴 때 쓰는 게 아닌 거 같은데"
"그렇다고 해도 신음 소리 한번 내지 않은 것은 네가 처음이다."

몇마디의 말을 하긴 했지만 대부분의 간호사는 로봇이나 다름 없었다.
허리춤의 삼단봉, 딱딱한 얼굴, 그리고 별다른 말이 없는 그들은 명령받는 대로 행동하는 로봇이나 다름없었다.

"얼굴을 때리지 않은 건 이런 짓을 벌이는 걸 들킬까 봐 겁이 나는 건가?"
"그럴 리가. 그녀에게 그런 것쯤은 신경도 쓰지 않을 힘이 있다고"

끼이익

무거운 철문이 열리는 소리와 함께 안으로 집어 던져졌다.

그들이 집어던지고 간 곳은 독방이었다.

몸을 덮을 것도 없는 그곳은 얼음장처럼 차가운 공기만 가득했다.

하루도 안되어서 차가운 기운은 고통스러운 몸속까지 들어와 뼈저리게 느끼게 만들 거였다.

웅크리다가 빠진 손톱, 발톱이 아파졌다.

그렇지만 그런 것도 얼마 못가 추위 속에 모든 것이 잠식되었다.

밤 동안 계속해서 벌벌 떨었다.

“죽어버린 건 아니지?”

아침인지 저녁인지도 몰랐다.

어두운 방안은 시간 개념마저 잊게 만들었고 머릿속까지 침투한 추위는 그것을 극대화했다.

밤새 벌벌 떨다가 죽지 않은 것이 다행이었다.

젊은 간호사가 진심 없는 말투로 말하고 있었다.

“살아는 있나 보군.”

어제와 달리 말대꾸조차 할 수 없었다.

밤새 시달린 추위에 목이 부어버려서 침을 삼킬 수도 없었다.

정신이 몸의 끔찍한 고통은 버텼지만 추위는 버틸 수 없었다.

"오늘도 시작이다."

문이 열렸다.

젊은 간호사 말고도 한 명이 더 있었고 그들은 몸을 들어서 어제와 똑같은 장소로 옮겼다.

어제의 흔적이 의자에 그대로 남아있었다.

바뀐 것이라고는 바닥에 깔려 있는 비닐뿐이었다.

"이렇게 빨리 보게 될 거라고는 생각 못 했나 보네."

그녀는 어제 자신이 만들어 놓은 작품들을 하나하나 유심히 쳐다보았다.

마음에 드는지 웃는 표정은 악마와 다름없었다.

그렇지만 어떠한 말에도 반응하지 않았다.

그 어떠한 것도 현재 상황을 도와주지 못할 거라는 것을 알고 있으니 말이었다.

"하아..."

이틀이었겠지만 시간관념 따위는 없어진지 오래였다.

내일 또 보자는 말을 마지막으로 차가운 독방으로 끌려 나왔다.

"1시간 45분 30초"

"무슨 말이지"

"방금 고통받은 시간"

"그걸로 신고라도 하려는 건가?"

대답 대신에 웃어 보였다.

그 모습에 간호사의 미쳤다는 말을 듣고는 다시 독방에 던져졌다.

고문은 불행처럼 어떠한 예고도 주기도 없었다.

무뎌지기는커녕 새로운 고통은 정신을 혼미하게 만들었고 정신이 몸을 떠나는 시간이 길어지고 있었다.

똑똑 똑똑

잘못 들은 게 아니었다.

깜깜한 독방은 감각을 예민하게 만들었다.

"누구지…"

아무런 답이 없었다.

있을 리가 없었지만 두드리는 신호는 꾸준하게 보내고 있었다.

손을 들어 올렸다.

신호에 맞춰 딱딱한 벽면을 두드렸다.

그러자 상대방의 신호가 멈췄다.

확실히 누군가가 있었고 무엇을 이야기하고 싶은지는 모르겠지만 밤새도록 의미 없는 행동을 반복했다.

벌써 며칠이 지나갔는지 알 수 없었다.

매일매일 반복되는 일상 속에서 의자 위로 끌려가는 숫자를 세는 것도 무의미해졌다.

그래도 오늘은 특별하게 제대로 된 음식이 나왔다.

이제까지는 고문보다도 굶어 죽이려는 것처럼 최소한의 음식만을 주었지만 오늘은 달랐다.

그것들을 마구잡이로 입안에 밀어 넣었다.

"나와."

"무슨 일이지?"

오늘은 달랐다.

깨끗한 옷까지 갈아입게 하고는 밖으로 나오라는 것이었다.

"어디로 가는 거지?"

"잠자코 따라오기나 해. 가서 괜한 소리 하는 순간 아작이 나는 줄 알고"

항상 가던 방향의 반대로 걸어가자 나온 것은 접견실이었다.

찾아오는 이가 없을 거라는 생각에 올 일이 없다고 생각했던 장소

다른 곳보다도 깨끗한 그곳에 생각지도 못한 인물이 앉아 있었다.

매번 봤을 때처럼 묶여 있는 서류만을 쳐다보고 있었다.

"왔군요."

"어쩐 일이지?"

"한창 힘들어할 것 같아서요. 제가 오지 않았다면 더러워진 옷을 입고 고통을 받고 있었을 게 분명하겠죠."

서류 뭉치에서 이제야 눈을 뗀 그의 말은 사실이었다.

변호사 댄이 오지 않았다면 이곳에서 멀쩡하게 앉아 있을 수는 없었을 거였다.

그러한 것을 알고 있는 듯한 눈빛은 이러한 결과에 대해서 힘들어하고 있다는 점도 담겨있었다.

"눈빛이 많이 꺾였지만 여전히 잃고 있지 않은 것은 있군요."
"무슨 일로 온 거지."
"도와주러 온 거죠. 변호사 사후 서비스 같은 거라고 생각하세요."

딱딱한 의자에 앉아 있는 것만으로도 온몸이 삐거덕 거리는 것 같았다.
성질 나쁜 어린아이가 가진 부서진 장난감이었다.

"변호했던 사람들 중 이곳에 온 사람들은 대부분 미쳐버렸거나 죽었습니다."
"그랬을 거 같군."

권력가의 도피처로 온 것이 아니라면 미쳤거나 죽었다는 것에 동의할 수밖에 없었다.
이곳에 있는 잠깐의 시간 동안 몇 번이나 정신을 놓았으니까
목적 없이 끌려왔다면 같은 신세를 면하지 못했을 거였다.

"병원이라는 이름을 쓰고 있지만 소문으로는 정부의 실험장이었다고 하더군요. 범죄자들을 상대로 아무도 모르게 실험을 했고 그러한 비밀들이 이곳의 주인에게 막대한 권력과 돈을 가지게 만들었다고요."
"그래서 고통을 주는데 익숙했나 보군. 집안 가업이어서 말이야."

변호사는 그 말에 팔을 잡아채서는 의도적으로 입혀진 길게 늘어진 옷을 들어 올렸다.

그 밑에는 파랗게 멍든 피부 위에 생긴지 얼마 지나지 않은 상처들이 가득했다.

간호사들이 말릴 세도 없이 품속에 있던 휴대전화를 꺼내서 촬영하자 대기하고 있던 그들은 정신없이 뛰어들어왔다.

휴대전화를 뺏으려고 시도한 간수는 단호한 변호사의 행동과 말에 어찌할 바를 몰라 했다.

“몸에 손대는 순간 고소할 겁니다.”

“촬영은 금지입니다. 휴대전화를 주십시오”

“잘 몰라서 그러나 본데 저는 이 사람의 변호사입니다. 아직 계약기간이 끝나지 않아서요. 오히려 이곳에서 어떤 대우를 받고 있는지 알아야겠는데요. 이곳에 들어오기 전까지 상처들은 없었거든요.”

태연하게 말했던 간호사들이지만 불과 며칠 전까지만 해도 없던 상처들과 말라버린 몸을 숨길 수는 없을 거였다.

그것들을 간호사들이 직접 만든 것은 아니었지만 문제가 불거진다면 다치는 사람이 누가 되는지는 모르지 않았다.

변호사 댄의 말에 대답하는 이는 한 명도 없었다.

타깃이 자신이 될까 모두 두려워하는 듯했다.

이곳에서는 왕처럼 행동하는 그들이었지만 눈앞의 남자에게 아무 말도 못하고 있었다.

"범죄자입니다."

"그게 학대를 받아도 되는 이유는 아니죠."

변호사를 말로 이길 수 있을 리 만무했다.

불리한 상황의 그들은 변호사가 몸에 있는 상처를 추가로 찍는 동안에도 아무 행동을 하지 못했다.

그것이 자신들의 목을 찌를 수도 있는 일이라는 것을 알아도 지켜만 볼 뿐이었다.

"일주일에 한 번씩 올 겁니다. 그게 어떤 의미인지는 아시겠죠."

"뒤에 누가 있는지는 알고 행동하는 겁니까?"

명백한 협박이었다.

간호사들은 말을 하면서 댄이 겁을 먹을 거라고 생각한 거 같았다.

그렇지만 상대를 잘못 골랐다는 것을 그들은 곧 알게 되었다.

마구잡이로 소리를 지르며 따지던 댄이 다음 의뢰인과의 약속이 아니었으면 아직까지도 난리를 치고 있었을 테니 말이었다.

"변호사 때문에 안심하지 말아."

간호사들은 잔뜩 화가 나 보였지만 이번에는 별다른 일 없이 차가운 독방에 던져둔 게 전부였다.

일주일 뒤에 정말 찾아올 것인지 알 수 없지만 그동안에는 어떤 변화가 있을지 몰랐다.

그들이 어떻게 괴롭힐지 예측할 수 없으니 말이었다.

'이상하네.'

다음날 금발머리 여자는 오지 않았다.

그렇다고 차가운 독방이 편안한 것은 아니었다.

춥다고 말하기도 어려운 그곳에서는 잠시라도 긴장의 끈을 놓는다면 얼어 죽어버릴지도 몰랐다.

얼마나 지난 지도 모를 때 약속을 지키는 것을 알 수 있었다.

"더 많아졌군."

많아진 서류더미는 조만간 들고 다니기도 버거워 보였다.

약속을 지킬 때마다 간수들은 위축되었고 그렇게 한 달이라는 시간이 지나고 나서야 방에서 나올 수 있었다.

밖의 풍경을 본 순간 현기증에 쓰러질 뻔한 것을 간신히 버텨냈다.

갑작스럽게 찾아온 정보들은 머리를 마비시켰다.

"똑바로 걸어."

간호사의 불만 섞인 말에도 신경 쓰지 않고 걸어나갔다.

바깥에는 꽤나 많은 사람들이 모여있었는데 모두 하얀 옷을 입고 있었다.

범죄자들이 모여 있긴 하지만 어찌 되었든 병원이라는 의미였다.

자유롭게 공터를 돌아다니는 사람들이 이쪽을 보고 있었다.

신경 쓸 필요 따위는 없었다.

새로운 사람에 대한 어떤 긴장감 혹은 호기심일지 몰랐지만 무시하고는 담벼락으로 걸어갔다.

바깥에서 들어오면서 봤던 벽과 건물의 구조는 훨씬 직관적이었다.

"병원 주인의 아들을 죽였다면서?"

담벼락에 걸터 앉자마자 다가와 말을 거는 무리는 젊은 녀석들로 이루어져 있었다.

한껏 여유 있어 보이는 얼굴과 이곳과는 어울리지 않는 깔끔한 헤어스타일과 옷이 인상 깊었다.

그들의 뒤로 나머지 사람들이 쳐다보는 시선이 느껴졌다.

탐색전

그렇게 밖에 생각되지 않는 행동이었다.

"왜 대답을 안 해?"

"대답할 필요 따위는 없으니까"

"이 자식이"

무시당했다고 느꼈는지 당장이라도 주먹을 휘두를 것처럼 행동했지만 보는 눈을 의식해서인지 휘두르지는 않았다.

다만 두고 보자는 몇 마디 말을 남기고는 다른 곳으로 이동했다.

"꽤나 카리스마 있는데"

새로운 사람이었다.

옆에 언제 온 것인지도 모를 그는 방금 전의 젊은 녀석들과는 다른 의미의 여유로움을 풍기고 있었다.

눈빛만으로도 평범한 자가 아니라는 것쯤은 알 수 있었다.

무리로 찾아온 앞선 녀석들에 비하여 혼자 앞에 서있는 것만으로도 말이었다.

"원래 말이 없는 건가. 아니면 경계해서 그런 건가."

"무슨 일이지."

"앞선 녀석들 때문에 예민해진 모양인데 일일이 신경 쓰지 말라고"

용건만 말하라는 눈빛을 이해한 듯했다.

멀리에 있는 남자의 부하들도 그것을 이해했는지 달려들려고 하려는 것을 다른 녀석들이 막고 있었다.

상황을 보았을 때 죄수들 사이에서 눈앞의 남자의 위치를 알 수 있었다.

"싸울 생각은 없어. 다만 이곳에 대해서 조금 설명해 주려는 거지."

"부잣집 도련님들에 대해서 이야기를 하려는 건가"

"잘 알고 있군. 방금 전에 봤던 덩치만 커다란 미숙한 녀석들. 음주 운전부터 마약까지 감옥에 가기 싫어서 이곳에 머무르는 놈들이지."

"당신은 뒷배경 때문에 함부로 할 수 없는 거고 말이야."

그의 눈이 살짝 가늘어졌다가 돌아왔다.

평범한 사람이라면 보지 못했을 변화겠지만 무대 위에서 작은 얼굴 표정까지 신경 쓰는 것은 중요한 일이었다.

이렇게 가까이에서라면 모를 수가 없었다.

"그리고 우리가 있지."

"그래서 어떻게 해달라는 거지?"

"원하는 것은 없어. 그냥 잠자코 있으라는 거야. 뒷배경 때문에 우리도 눈치를 보는데 부잣집 도련님을 죽이고 이곳에 온 멍청이가 누군지 호기심도 있고 말이야."

순식간에 바닥에 있던 손을 밟아버렸다.

육중한 덩치에서 오는 무게와 불시에 당한 통증 때문에 미친 여자의 고문 속에서도 나오지 않은 신음이 입 밖으로 튀어나왔다.

그는 몸을 낮춰서 눈을 쳐다보며 말했다.

"너를 좀 괴롭혀달라는 사람도 있고 말이야."

"그럴 건가?"

"아니. 마음에 들었거든."

그는 말을 끝마치고는 조용히 일어났다.

지켜보겠다는 듯이 두 손가락으로 자신의 눈을 가리켰다가 이쪽을 가리켰다.

하루 종일 그곳에 앉아 시간을 보냈다.

고문을 당하고 제대로 먹지도 못 했던 것에 비하면 천국이나 다름없었다.

그리고 확실한 변화가 있었다는 것을 느낀 것은 잠을 자려고 할 때였다.

차가운 독방

그곳으로 갈 거라고 생각한 것과 달리 다른 곳으로 이동했다.
2층 침대가 두 개 놓여있는 장소.
그런 장소가 많이 모여있는 환자들이 지내는 곳이었다.

"들어가."
"오늘부터는 여기서 자는 건가?"

퍼억

그 물음이 마음에 안 들었는지 간수의 팔꿈치가 명치에 꽂혔다.
어찌나 세게 맞았는지 숨도 제대로 쉬지 못하고 한참 동안 숨을 내뱉고 나서야 진정이 되었다.

"변호사 때문은 아니라는 것을 알아둬"
"그게 아니면 나를 이곳에 넣을 이유가 없을 텐데 말이야."
"이유는 말할 수 없지만 언제까지 그 젊은 변호사가 너를 도와줄 수 있을 거라고 생각하지는 말라고."

이해가 되지 않았다.
변호사 때문이 아니라면 갑자기 이렇게 대하는 것이 말이었다.
그들은 그저 평범한 방에 던져 넣고는 가버렸다.
다행히 따로 좋은 방을 배정받았을 부잣집 도련님들은 없었다.

방 안에는 2층 침대가 2개 놓여있었는데 아무 말 없이 빈자리에 걸터앉았다.

바깥에서 느껴지던 탐색의 시선들은 안에도 있었다.

괴롭혀달라는 부탁을 받았다는 남자의 말이 떠올랐다.

“볼일 있는 건가?”

4명분의 침대가 있지만 2명의 시선만이 방 안에서 경계하고 있었다.

덮칠 준비를 하는 것인지 반대쪽 2층 침대 위의 남자는 한쪽 손을 숨기고서 말이었다.

“잔인한 범죄자 같지는 않은데”

“당신들도 모두가 범죄자처럼 보이진 않아.”

바로 침대 위쪽에 있는 남자

한쪽 손을 숨기고 있는 그의 덩치는 엄청났다.

그와 달리 나머지 한 명은 범죄를 저질렀을 것 같다기보다는 표정이나 분위기가 아픈 사람처럼 보였다.

“우린 싸우고 싶은 마음 없다. 서로 조용히 있다가 가자고”

위층 남자의 말에 남은 한 명도 고개를 끄덕였다.

그들의 말이 사실이라는 것을 증명하듯이 양손을 들어 보여주었다.

숨기고 있다고 생각했던 것은 착각이었는지 2명의 손에는 아무것도 들려 있지 않았다.

“밖은 어때?”

“언제부터 이곳에 있었지?”

“8년”

건너편 1층 침대에 자리 잡은 아픈 얼굴의 장발 남자는 계속 해서 말을 걸었다.

주된 대화의 목적은 병원 밖의 세상이었다.

5년 동안의 시간 동안 어떻게 변했는지 묻는 그는 오히려 멀쩡해 보여서 이곳과는 어울리지 않았다.

"왜 여기 있는지 궁금한 거지?"

얼굴에 궁금증이 티가 난 건지 물었다.

누군가가 얼굴 표정만으로 생각을 알아차린 것은 오랜만이었다.

"대부분의 사람들이 궁금해하거든. 멀쩡하게 생겨서 이곳에 있는 것을 말이야."

"조심해라. 멀쩡해 보이는 것과 달리 기계를 증오해서 미쳐있거든."

"기계를 증오한다고?"

"이곳에 들어오기 전에는 도서관에서도 일했을 정도로 멀쩡했다는데 기계에게 자리를 빼앗기고는 기계만 보면 미친 듯이 달려든다더군. 한번 보면 왜 이곳에 있는지 알게 될 거야."

2층 침대에 있던 덩치 큰 남자의 말에 떠오르는 사람이 있었다.

제임스가 도서관에 갈 때마다 말한 남자가 눈앞의 남자라는 것을 알 수 있었다.

사회에 적응하지 못한 한 명은 정신병원에 있고 나머지 한 명은 어디에도 없었다.

"기계를 조금 싫어할 뿐이야. 위에 있는 녀석은 덩칫값 못하게

도박중독이야."

"나는 남에게 피해를 주는 것을 싫어한다고"

"도박 자금을 마련하기 위해서 사기를 치고 이곳에 있으면서 매일 남에게 피해를 주기 싫다고 말하지."

한가지씩만 빼면 멀쩡해 보이는 사람들이었지만 이제는 스스로도 갇혀 있는 것이 당연하다고 생각하는 듯했다.

대화는 오래가지 못했다.

편안하게 누운 침대는 몸을 잡아끄는 것 같다가 정신까지도 땅속으로 끌고 갔으니 말이었다.

매일 똑같은 시간에 일어나 반복되는 일상.

처음 겪는 일상들도 주변에 비슷한 상황의 사람들이 있다는 것만으로도 적응하는데 어려움이 없었다.

조용히 아무도 모르게 지내는 게 목적이었다.

같은 방을 쓰는 환자들은 방을 나서는 순간 아는 척하지 않았다.

그것이 이해가 가지 않는 것은 아니었다.

이곳에 있는 모두는 눈에 띄고 싶지 않은 것이었다.

"괴롭히는 일은 없나 보군요."

시간은 빠르게 흘렀다.

병원에 들어온 지 꽤나 많은 시간이 흘렀지만 댄은 빼먹지 않고 찾아왔다.

들고 오는 서류더미의 양을 보았을 때 말한 것을 지키기 위해서 노력한다는 것을 알 수 있었다.

"덕분인거 같은데"

"저 때문만은 아닐 겁니다. 이들에게 있어서 무시할 만한 젊은 변호사일 뿐이니까요."

"그러면... 왜 그런 거지?"

"밖이 난리가 났으니 신경 쓰기 어렵겠죠."

"난리?"

그는 오랜만에 서류에서 눈을 떼고는 얼굴을 쳐다보았다.

처음 이곳에 와서 이야기를 하고는 처음일지도 몰랐다.

매번 댄과의 접견시간은 짧았고 그저 서로 조용히 자리에 앉아 있을 뿐이었다.

"아이러니하게도 평화로운가 보군요. 바깥은 전쟁터입니다."

"무엇 때문에?"

"민주주의 때문이죠."

다음에 이어진 말은 놀라움의 연속이었다.

재판이 진행될 초기에 부잣집 도련님을 죽인 것에 대한 세간의 주목을 받았던 것과 달리 금방 사람들에게 잊혀졌다고 했다.

특히 뒤늦게 터진 대형 사건 때문이었다.

민주주의를 위해서 힘쓴 대통령의 죽음.

그것이 기폭제가 되어 억압받던 사람들이 시위를 진행 중인 모양이었다.

변호사는 덕분에 일이 많아졌다고 하소연하며 자리에서 일어났다.

"친구랑 이제 사이가 안 좋나 봐. 갈수록 빨라지는데"

변호사랑 헤어지고 돌아가는 길 간호사의 비아냥 섞인 말이었다.

갈수록 빨리 헤어졌다고 말하는 그의 눈빛은 맛있는 먹잇감에 한 발자국 다가간 것 같은 동물의 느낌을 풍기고 있었다.

그것은 언제든지 하얀 방으로 데려갈 수 있다는 듯한 태도였다.

목적을 가지고 이곳에 들어왔지만 정작 아직까지 한 것은 아무것도 없었다.

기다리는 것, 그리고 혹시 올 기회를 잡기 위한 준비를 할 뿐이었다.

변화 없이 평생 이곳에서 썩다가 죽어 사라질지도 몰랐다.

소동을 만들고 싶었지만 단단히 이루어진 시스템은 개인의 힘으로는 돌파구를 찾기가 불가능에 가까워 보였다.

"언제까지 여기 앉아 있을 거지."

매번 똑같은 장소에 앉아서 시간을 보내다 보니 처음의 관심들과 시선은 사라진지 오래였다.

다른 사람들을 의식해서인지 말을 걸거나 다가오는 이는 없었다.

그저 간혹 이곳의 보스만이 말을 거는 것이 전부였다.

"몸이 안 좋아서"

"눈빛을 보면 다른 녀석들과는 조금 다르다는 것을 알 수 있지."

"눈빛이 어떤데?"

그는 머리채를 잡아 일으키고는 눈을 쳐다봤다.

힘이 어찌나 센지 머리카락이 뽑힐 듯했다.

다만 하얀 방에서 겪은 고통에 비하면 버틸만한 그런 것이었다.

"뭔가를 노리고 있는 것은 맞는데 무엇인지 모르겠다니까"

"그런 건 없어."

"그건 조금 더 지켜보면 알게 되겠지. 생활은 적응했나 봐?"

"적응할 만한 것은 아니던데"

그 말에 웃으며 생각보다 유머가 있다며 말을 하고는 가버렸다.

밖에 일어나고 있는 일이 정확하게 무엇인지는 모르지만 이곳에까지 영향을 미치는 것은 확실했다.

괜스레 힘을 과시한 것이 아니라는 것쯤은 알 수 있으니 말이었다.

안쪽을 지키던 간수들의 숫자가 줄어들었고 그들이 지키는 것이 밖이라는 것을 알아채는 것은 어렵지 않았다.

이런 미묘한 분위기는 다른 사람들에게도 퍼져나갔다.

밤늦게 잠을 자는 방에서 사람들의 속삭임이 들려왔다.

이곳의 분위기가 천천히 바뀌고 있었다.

"요즘 분위기 느꼈지?"

"내가 몇 마디 이야기를 들었는데 밖에 무슨 일이 생긴 거 같아."

변화의 분위기는 가까이서도 느낄 수 있었다.

밤새 잠을 안 자고 떠드는 소리가 같은 방의 침대에서 들려왔으니 말이었다.

"무슨 일인데 그래."

"대통령이 죽고 시위가 일어났다더군. 기득권들을 갈아엎는다고 말이야. 변화의 바람이 불었다던데"

"그딴 건 상관없으니 이곳에서 나갈 수만 있으면 좋겠어."

본 적 없는 변화의 바람에 모두 들떠있지만 바깥과 단절되어 있는 이곳에서는 아직 한참 멀게 느껴지는 일이었다.

어떤 계기가 있지 않은 이상 말이었다.

"모두 떠들지 말고 자도록 해."

간호사들의 고함이 들려왔다.

한 손에는 항상 허리춤에 매어있던 단봉이 들려있었고 중무장을 한 몇 명은 항상 문 너머에서 이쪽을 향해있었다.

그렇지만 중무장을 한 것과 달리 긴장감을 가지고 있는 듯한 모습은 오히려 맹수들에게 먹잇감으로 보이게 만들 뿐이었다.

"모두 밖으로 나와."

어두운 새벽,

환자들에게 바깥으로 모이라는 방송 소리와 동시에 열리는 출입문

이제까지 한 번도 없었던 돌발 상황에 제대로 반응하지 못한 사람들에게는 인정사정없는 매타작이 따라왔다.

매타작만 없다 뿐이지 간호사들이 어려워하던 부잣집 도련님들도 예외는 아니었다.

이른 새벽 모두가 모여 준비가 끝마쳤을 때 간호사들은 하나씩 하나씩 죄수들의 방을 뒤지기 시작했다.

"제기랄"

누군가의 욕지거리가 들려왔다.

그것은 비단 한 명만의 문제가 아니라는 것을 알 수 있었다.

담배, 포르노 잡지 그것들을 시작으로 마약으로 보이는 흰색 가루 그리고 어느 방에서 나왔는지 모르지만 조잡하지만 위협적인 물건들이 쏟아져 나왔다.

바깥으로 물건들이 던져질 때마다 방의 주인들은 간호사들에게 모질게 매 맞기 시작했다.

"무엇 때문에 이러는 겁니까"

"입다물고 제자리에 서있어."

어떤 누구의 말도 간호사들을 멈추지 못했다.

분위기와 표정만으로 쉽게 끝나지 않을 거라는 것을 모두들 알 수 있었다.

"전부 다 확인했습니다."

"많이도 나왔군."

마구잡이로 호실에서 던져진 물건들이 사방에 널려있었다.

그것들 중 몇 개를 발로 건드려보고는 보스의 앞에 섰다.

크게 말하지 않았다.

"왜 맞을지는 알겠지."
"모르겠습니다."

반항적인 모습에도 특별히 반응하지 않았다.
다만 옆에 있던 간호사의 허리춤에 있던 단봉을 꺼내들고는 마구잡이로 휘두르기 시작했다.
한 번씩 휘둘러질 때마다 무언가 찢어지는 듯한 소리가 들리며 뼈와 살로 이루어져 있는 몸이라는 것을 여실히 보여주고 있었다.
다만 정신력만큼은 다르다는 듯이 얼굴을 찡그리거나 표정이 변하지 않았다.

"하아... 하아..."
"전부 때렸습니까?"
"기분 나쁘면 밑에 굴러다니는 걸 집어서 덤벼보지 그래."

간수장의 말에 모두의 눈이 바닥으로 향했다.
수없이 많은 물건들 중에는 조잡했지만 사람들을 죽이는 데에 충분한 것들이 가득했다.
이곳에 있는 모두가 들고 달려든다면 주변에 있는 간호사들 몇몇은 위험한 상황에 놓이게 될게 분명했다.

"무엇을 바라는지 모르겠지만 그럴 일은 없습니다."
"명심해야 할 거다."
"두려워하시는 일 따위는 없을 겁니다"

한바탕 휩쓸고 지나가서야 방으로 들어갈 수 있었다.

밖에 떨어져 있던 물건들은 그대로 모두 폐기될 운명이었고 적어도 절반의 죄수들은 몽둥이 찜질을 당했다.

'바뀌었다.'

대외적으로는 간호사들과 환자들의 차이를 제대로 보여주는 일이었지만 동시에 무언가 변하고 있다는 것을 모두 알게 된 사건이었다.

간호사들의 행동은 변화에 대한 두려움을 담고 있었으니 말이었다.

약자와 약점을 집요하게 물어뜯는 것은 약육강식의 세계에서 당연한 것이었다.

"방금 좀 이상했지?"

잠을 잘 수 있는 사람은 아무도 없었다.

방금 일어난 일들에 대해서 스스로 생각해 보고 있을 거였다.

"부잣집 도련님들까지 이런 대접을 받는 것은 처음이었으니까."

"이런 적은 한 번도 없었는데 말이야."

"바깥에 일 때문이겠지? 그렇지?"

그의 말에 대답을 해줄 수 있는 사람은 없었다.

모두들 갇혀있는 상태에서 가진 정보라고는 비슷했다.

"보스 녀석은 알고 있는 거 같았는데... 간호사들의 행동도 이상했고 말이야."

꿀꺽

침을 삼켰다.

다음 질문은 모두가 관심 가지는 것이었지만 생각하는 것만으로 문제가 될 수 있는 것이었다.

"탈옥하려는 사람이 생길까?"

이곳에 있는 모두의 바람이었다.

목숨을 잃는다고 해도 시도할 녀석들은 많을 테고 기회라고 생각한다면 움켜쥘 거였다.

"모두들 같은 마음이지 않을까"

모두들 고개를 끄덕이겠지만 그것을 입 밖으로 꺼내지는 않았다.

그 정도로 멍청한 사람은 없었다.

"그쪽은 어떻게 할 거야?"

"저 녀석은 남을 거야."

질문의 대답은 당사자가 아닌 다른 쪽에서 나왔다.

눈에 띄는 행동은 안 했다고 생각했는데 그렇게 생각하는 이유가 궁금했다.

한 명만 하게 만든 생각이 아니었으니 말이었다.

"왜 그렇게 생각하는 거지?"

"우리들은 밖을 보고 있지만 항상 안을 보고 있으니까 말이야."

틀린 말은 아니었다.

기회가 있다면 탈옥하려는 사람들과 달리 안으로 들어가는 게 목적이었으니까

조금이라도 이곳의 지리를 알기 위해서 쳐다보았던 행동들이 수상하게 느껴져서 내린 결론인 듯했다.

새벽에 일이 있던 날 모두의 마음에는 탈옥이라는 단어가 들어가게 되었다.

대부분은 움직이지 않겠지만 누군가는 움직이고 있었다.

도화선에 불만 당긴다면 걷잡을 수 없이 번질 거였다.

똑똑

어김없이 앉아있다 보니 전용 자리가 되어있는 곳이었다.

옆의 기둥을 두드리는 소리에 시선을 돌리니 보스가 서있었다.

얼굴에는 며칠 전에 맞은 상처들이 아직도 가득했다.

“무슨 일이지?”

“이곳에서 계속 앉아서 보고 있었으니 눈치챘겠지.”

“어떤 것을 말이야? 간호사들의 숫자가 줄어들었다는 것? 아니면 그것에 맞춰서 뭔가를 꾸미는 사람이 있다는 것?”

특별히 감추고 싶어 하는 마음이 없어 보였다

뭔가 꾸미고 있냐는 말에 대해서 기대했던 반응을 보이지 않았으니 말이었다.

"밖에는 시위 때문에 난리가 났고 이런 곳에 무슨 일이 생겨도 이상하지 않지."

"하고 싶은 말이 뭐야? 만약에 일이 터진다면 도와..."

"도와달라고 말 안 해도 어차피 시작되면 움직이게 될 거다."

"무슨 말을 하고 싶은 거지?"

"갇혀 있던 맹수들이 자유를 찾게 되었을 때 적이 누구인지 혼동하는 경우가 있다더군. 분노를 표출할 대상이 누구인지 잘 선택하라고 경고하러 온 거다."

바깥으로 나가는 것이나 그들의 경고에는 관심이 없었다.

관심 있는 것은 내부였지만 밖으로 나가려는 그들이 혼란을 만든다면 틈을 타서 목적을 달성할 수 있을 거 같았다.

그런 의미에서 살짝 고개를 끄덕일 뿐이었다.

격변하는 세상 속에서 한 번의 기회는 올 것이었다.

.

며칠 지나지 않아서 분위기가 바뀌었다.

꽤나 많은 인원이 섭외된 덕분인지 숨긴다고 노력하여도 미묘한 긴장감이 흘러넘쳤고 결국 간호사들도 알게 된 거 같았다.

부잣집 도련님 그룹을 보호하기 위해서 완전히 떨어트려 놓았으며 줄어들었던 간호사들도 늘어나있었다.

양쪽 모두 신중하게 현재 상황을 바라보며 대비하고 있었다.

한 번의 기회를 노리는 자들과 그것을 저지하려는 자들
신중한 상황에서 언제나 사건은 생각지도 못한 것에서 시작된다.

"거기 멈춰."

모든 곳이 간수들의 시야에 들어오는 것 같았지만 사각은 있었다.
그곳을 통해서 보스는 바깥의 정보를 전해 들을 수 있었다.
운동장에 모두가 모여있는 시간.
죄수들과 간호사들 모두에게 일을 벌이기 싫은 시간이었다.

"멈춰 서라고 했어."

잔디에서 무언가를 집어 들고 멈춰있는 죄수의 행동을 간호사가 본 모양이었다.
평소라면 하지 않을 실수였지만 종이 속에 적혀있던 내용 때문에 벌어진 일인 듯했다.
사람들의 시선이 그쪽으로 멈췄다.
움직이는 사람은 없었고 둘의 묘한 대치에 주목하고 있었다.

"쓰레기 하나 주었을 뿐입니다."
"쓰레기 아니라는 거 알잖아. 가져와"

손아귀에 삐져나온 종이 쪼가리는 쓰레기라고 볼 수 없는 모양이었다.
일부러 구겨놓은 것인지 동그랗게 구 모양의 형태였으니 말이었다.
어떠한 방법으로 날려보내는지는 알 수 없었지만 밖에서 한 번씩 날아와 소식을 전해주었다.

"알았으니 진정하라고."

이미 안의 내용을 봐서일까 그것을 주는 것에 별 의미가 없다는 듯한 태도였다.

동시에 손을 뒤로하여 대기하고 있던 동료들에게 움직이지 말라는 신호를 보냈다.

눈앞의 장면을 보는 순간 알 수 있었다.

때가 되면 말하지 않아도 움직일 거라는 보스의 말

지금을 말하려는 의도는 아니었겠지만 말이었다.

눈앞의 죄수를 경계하는 간호사의 뒤로 천천히 다가갔다.

모든 사람들은 대치하고 있는 2명에 정신이 팔려있었다.

누군가 알아차린다고 해도 이런 대치상태에서 섣불리 움직일 수 없을 거였다.

돌발행위는 폭탄의 도화선이 될지도 몰랐다.

몰래 가지고 있던 날카로운 그것을 속옷에서 꺼냈다.

누군가가 만든 것인지 알 수는 없지만 조잡하고 한 손에 들어올 정도로 작았다.

그렇지만 분명히 그것에는 악의가 섞여 있었다.

"멈춰."

누군가의 외침이 울려 퍼졌지만 이미 늦었다.

날카로운 그것으로 목을 찔렀다.

"탈옥이다."

주변을 쳐다보며 목청껏 소리를 질렀다.

소리를 지르지 않는다면 눈앞의 말도 안되는 상황에 아무도 움직이지 못할 거였다.

목에 피를 쏟으며 쓰러지는 간호사를 볼 거라고는 생각지 못했을 테니 말이었다.

하지만 강한 외침에 주변에 있던 환자들은 어떻게 생각할 수도 없이 주변의 간수들에게 달려들었다.

그들은 환자이자 날카로운 이빨과 발톱을 가진 동물들이었다.

피를 본 순간 지금까지의 학습은 무의미했다.

짐승을 교정하는 것은 불가능했다.

"미친 자식"

어수선한 상황에서도 얼마나 화가 났는지 보스의 목소리가 분명히 들려왔다.

건네받은 것인지 메모를 마구잡이로 구겨버리는 모습.

그의 표정을 보았을 때 지금 상황을 원하지 않았다는 것을 말해주고 있었다.

"무슨 짓을 벌였는지 알기는 하는 거냐."

"자유를 선물해 줬지. 너희들이 바라는 거였잖나."

화를 내려다가 이내 멈춰 섰다.

정신없는 순간에도 머릿속만큼은 냉정하게 움직이는듯했다.

지금 화를 내는 것보다도 중요한 게 있었으니까

“다음에 보면 죽일 거다.”

“기억해두지”

쪽지를 땅바닥에 던지고는 폭동 속으로 사라졌다.

지금 상황에서 할 수 있는 것이라고는 도망가는 것 일뿐이었다.

사건의 시작점을 쫓다 보면 그들이 준비했던 것이 들킬 테니 말이었다.

비록 마지막에 그것을 포기하려고 했지만 말이었다.

“살... 려.. 줘.”

“아직 살아있었나”

사건의 기폭제이자 아직까지도 손에 들려있는 날카로운 그것의 희생양이었다.

목이 찔린 탓인지 기도 안으로 피가 고여들어 거친 숨소리를 내뱉고 있었다.

당장 어떤 것을 하지 않아도 그는 혼란 속에서 죽어갈 것이었다.

“분명 후회하게 될 거라고 했을 텐데”

말도 못 하고 눈빛에는 죽음에 대한 공포만이 있었다.

눈빛은 얼마 남지 않은 시간에 대한 두려움에 젖어있었다.

그리고 그 속에는 이제는 다른 의미가 내포되어 있었다.

이전에도 한번 보았던 의미였다.

“들어주마.”

일을 마치고 고개를 들자 주변은 조용해져 있었다.
한껏 주변을 초토화시킨 폭력은 다른 희생양을 찾아 떠났다.
폭력을 막을 수 있는 것은 더 큰 폭력뿐일 터였지만 오래도록 갇혀있다가 터진 그것을 막아낼 폭력은 이곳에는 없었다.
그것들은 점차 안에서 바깥으로 퍼져나갈 터였다.

"안타깝군."

개중에는 지금 상황이 두려워 숨거나 도망가는 사람도 있었다.
누군가가 썼던 것인지 피가 묻어있는 조잡한 송곳을 집어 들고는 안으로 들어갔다.
목적지로 가는 동안 아무도 만나지 못했다.
겁에 질려서 숨어있는 사람들은 그저 희생양일 뿐 인기척이나 숨소리는 무시하고 목적지로 걸어갔다.
이곳에 들어와서 계속 찾았던 장소.
수많은 사람들이 손에 서류철을 들고 들어갔다가 나올 때는 아무것도 들려있지 않은 장소였다.

"카드키가 필요하군."

천천히 다시 돌아가 제일 가까이에 죽어있는 사람의 목에 걸려있는 카드키를 꺼내들었다.
누군가에게 죽은 지 모를 그의 몸을 아무렇게 밀쳐두고는 문으로 다가가 카드키를 가져다 댔다.
생각했던 것보다 거대한 장소에는 도서관처럼 수많은 책장과 그 안에 빼곡하게 서류가 가득 차 있었다.

엄청난 서류 더미에서 찾아야 할 것은 하나였다.

"찾느라 고생하지는 않겠어."

이렇게 많은 서류에서 한 사람의 파일철을 찾는다는 것은 불가능에 가까울 것이라고 생각했다.

그렇지만 다행스럽게도 눈앞에 있는 컴퓨터를 보자 안도감을 느낄 수 있었다.

일했던 사람들의 자료가 정리되어 있었고 도서관에서 책을 찾을 때 썼던 검색 기능도 있었다.

덕분에 원하는 서류철을 찾는 데에는 오랜 시간이 걸리지 않았다.

"오랜만이야."

이곳의 연구원들 속에서 그녀의 이름을 찾아볼 수 있었다.

비록 알고 있던 이름은 아니었지만 반가운 감정을 숨길 수 없었다.

첫 번째 장을 보고는 웃음이 흘러나왔다.

무엇이 그렇게 불만인 것인지 사진 속의 그녀는 잔뜩 얼굴을 찡그리고 있었으니 말이었다.

그녀에 대한 각본을 읽어 내려갈수록 흥미로웠다.

고작 몇 장의 종이에 모든 것이 들어있었으니 말이었다.

윤택한 집안, 높은 교육수준, 평범한 가정

그녀에 대해서는 그런 것들이 적혀있었다.

절대 낡고 허름한 트레일러에서 모자란 남자와 살게 될 그런 부류의 인간이 아니었다.

그녀의 서류철을 책장에서 꺼낼 때 같은 책장의 다른 사람들보다 양이 많았다.

서류철 뒤에는 각자 맡아서 했던 연구들의 내용이 적혀있었다.

"분리 작업?"

어려운 용어들의 연속이었다.

연구의 제목은 인격의 분리 작업이었다.

"인격의 분리"

변호사가 했던 말은 사실이었다.

정신병원의 모습을 하고 있지만 실상은 인체실험이 행해졌던 장소라는 것이 말이었다.

실험은 정부의 지원으로 이루어졌다.

그녀가 했던 실험의 목적란에 전쟁을 치른 군인들의 ptsd를 극복하는 것은 물론 죄의식을 느끼지 않는 인간병기들을 만들기 위한 방법이라고 적혀있었으니 말이였다.

이들은 그 방법을 인격을 분리하여 소거하는 방법에서 찾았다.

그리고 실험대상은 사회에서 없어져도 모를 사이코패스로 분류되는 환자들로 정한 것이였다.

"자세한 것은 없구나."

그녀가 했던 실험에 대한 자세한 내용은 적혀있지 않고 대략적인 정보만 있을 뿐이었다.

특히 마지막에 실험의 성공에 대한 부분은 비어있었다.

타이핑되어 있는 서류에서 유일하게 연필로 작성을 하다가 지운 흔적만 있을 뿐이었다.

어쩌면 지금까지도 실험은 현재 진행형으로 끝나지 않았을 수도 있었다.

마지막 장에는 실험에 썼었던 메모장, 서류, 그리고 얼마나 많은 실험들이 진행되었는지 모를 사진들이 모아져 있었다.

“제기랄”

그 속에서 실험자들의 첫 번째 사진은 무표정이었지만 다음 사진에는 모두 비명을 지르고 있었다.

사진 바깥으로까지 고통이 느껴졌다.

가장 무서운 것은 그들의 비명에도 연구원들은 무표정으로 일관한다는 것이었다.

사진 속에는 익숙한 얼굴도 있었는데 서류철의 주인이니 없는 것이 이상했지만 비명을 지르고 있는 사람의 앞에서 마스크를 쓰고 무표정한 표정을 짓고 있는 모습은 이질적이었다.

얼마나 관여되어 있는지 모르겠지만 어떠한 일들을 해왔는지 알 수 있었다.

그 다음에 본 것은 익숙한 인물이었다.

시험대 위에서 비명을 지르고 있는 남자.

지금보다 어리고 모습도 다르지만 알아보지 못할 리 없었다.

"실험 대상이었다면 어째서 샌디랑 같이 살고 있었던 거지."

실험의 대상과 연구원으로 만난 것은 알겠지만 그녀와 같이 살았다는 것은 이해되지 않았다.

어찌 된 영문인지 떠올리려고 해도 기억이 나지 않으니 말이었다.

폭발 소리

고개가 자연스럽게 소리가 난 방향으로 움직였다.

멀리서 들려오던 소리는 갈수록 가까워지고 있었다.

범죄자들이 두터운 벽을 뚫고 나갈 방법으로 평범하게 문을 이용하는 것은 아닌 모양이었다.

소리가 가까워질수록 이곳에 있을 수 있는 시간이 줄어들고 있다.

"나머지는 저곳에 있다는 건가."

몇 개의 사진들이 추가로 있었지만 그것이 전부였다.

나머지 실험에 대한 자세한 정보는 수많은 서류더미들 중에 있을 거였다.

시간이 있다면 찾아볼 수도 있겠지만 지금은 시간이 부족했다.

어쩌면 그럴지도 몰랐다.

실험 대상으로 사용되다가 죽은 것으로 돼버린 상황이 말이었다.

죽은 사람으로 지금까지 살아있는 것이고 그렇게 살게 해준 것이 샌디일 수도 있지만 그저 머릿 속의 상상일 뿐일지도 몰랐다.

다만 그녀가 숨기고 있던 것들이 사실이었다는 것.

그리고 사실이라고 알고 있던 것들이 거짓이라는 것은 확실해졌다.

더 이상 자세한 내막을 아는 것이 중요한 것은 아니었다.

"가야 할 시간이구나."

이제 폭발음은 지척에 다다랐다.
급하게 들고 있던 서류를 품속에 넣고 문으로 달려나가는 순간

콰앙

문을 여는 순간 지척에서 터졌다는 것을 느꼈다.
지금 터진 폭발은 휘말리는 모든 것들을 날려버렸다.

"허억"

멈춰있던 숨을 내뱉으면서 깨어났다.
폭발의 여파로 날아가며 기절했던 것인지 아무 곳에나 몸이 널브러져 있었다.
정신이 돌아온 순간 온몸의 통각이 고통으로 밀려갔다.

"건물 안이여서 살은 건가."

방금 전 폭발로 건물의 대부분이 날아가 있었다.
벽이었을 것으로 보이는 잔해의 너머에는 사람들이 파묻혀 있거나 폭발의 여파로 죽은 것이 눈에 들어왔다.
동시에 저 멀리 뚫려버린 벽을 통해서 살아남은 사람들이 떠나고 있었다.

"살.. 려.. 줘.."

누군가의 구조 외침

신음 소리는 멀리서 나고 있지만 옆에서 들린 것처럼 귀에 박히는 목소리였다.

아직까지 정신을 차리지 못한 몸을 천천히 일으켰다.

오른 다리가 심하게 다친 것인지 제대로 걷지도 못하고 질질 끌고 소리가 나는 곳으로 걸어나갔다.

잔해 틈으로 한 명의 사람이 깔려있는 것을 볼 수 있었다.

잘 관리되었던 머리카락들은 망가져 있었다.

"살려줘... 돈이라면 얼마든지 줄게..."

"돈은 필요 없어."

구조요청을 받고 온 사람의 얼굴을 보고는 그녀의 눈빛에서 희망은 꺼져 있었다.

자신이 벌인 일들에 대해서 떠올리고 있을 뿐이었다.

"받은 걸 갚아주기라도 할 건가."

"너의 더러운 취미처럼?"

"너 같은... 범죄자가 더러운... 취미라고 말하면 안 되지..."

천천히 다가갔다.

한 손에는 폭발 속에서도 놓지 않은 송곳이 들려있었다.

인간의 생명력이 얼마나 끈질긴지 때로는 얼마나 쉽게 사라지는지 알고 있는 상황에서 그녀의 목숨은 끈질긴 쪽에 속한다는 것을 알 수 있었다.

피부의 절반 이상은 열기에 녹아있었고 잔해에 깔린 몸뚱이는 말을 하고 있다는 것이 놀라울 정도였다.

"그런 취미 따위는 없어."

쉽게 꺼져버리는 생명

대부분의 사람들이 안전하게 살아가고 있는 것은 규칙을 지키고 있기 때문이었다.

그 규칙에서 벗어난 사람에게는 그것이 얼마나 쉬운 일인지 알지 못한 체 말이었다.

막고 있던 벽이 무너져 내리면서 보이는 풍경은 평화로웠다.

바깥의 풍경은 들어올 때와 달라진 게 없었다.

어디로 가야 할지 정해진 것은 없었다.

그렇지만 발걸음 닿는 대로 움직이자 곧장 한쪽 방향으로 걸음을 옮겼다.

익숙한 길이 나오는 순간 목적지가 어딘지 알 수 있었다.

매일 건너던 다리가 저물어가는 태양 빛에 타오르고 있었다.

걸음을 멈추고 다리의 건너편을 바라보자 눈을 뜰 수가 없었다.

스윽

천천히 품에서 서류더미를 꺼냈다.

짧은 시간 훑기만 했던 터라 안에 놓친 내용이 있을지도 몰랐다.

그렇지만 그것을 본다고 달라질 것은 없었다.

손을 뻗어 다리 밑으로 그리고 강 위로 떨어트렸다.

"집으로 간다면 다시 잡히겠지."

집이 있을 다리 건너편을 바라보았다.

어쩌면 돈을 내지 못해서 쓰러져 버릴 거 같은 트레일러는 치워버렸을지도 몰랐다.

해가 뜨면서 다리 위로 자동차들이 지나고 있었다.

오래전에 전쟁을 위해서 만들어진 붉은 다리

바람이 부딪히면서 휘파람 비슷한 소리가 울려 퍼졌다.

진짜 휘파람 소리가 아니기에 아무에게도 영향을 주지 않는다.

다만 무엇인가를 상기시키게 만들기는 했다.

다리 위, 사람의 형상이 서있었다.

햇빛 때문에 자세히 볼 수는 없지만 이곳에서 죽었던 사람이었다.

부랑자가 반대쪽에서 멀쩡히 이쪽을 바라보고 있었다.

그렇게 한참 동안을 서로 쳐다보았을까 부랑자는 처음부터 없었던 것처럼 녹아들면서 사라졌다.

그 모습을 바라보는 순간 알 수 있었다.

'내'가 미쳤구나